19

Salut Max !

GENEVIÈVE BUONO
JAMES ROUSSELLE

avec la collaboration de Geneviève Letarte

roman

LES ÉDITIONS CEC INC.

8101, boul. Métropolitain Est, Anjou, Qc, Canada. H1J 1J9
Téléphone: (514) 351-6010   Télécopie: (514) 351-3534

Directrice éditoriale
Emmanuelle Bruno

Directrice de la production
Lucie Plante-Audy

Chargée de projet et réviseure
Suzanne Berthiaume

Correctrice d'épreuves
Diane Trudeau

**Conception graphique
et réalisation technique**

LE GROUPE
F L E X I D É E

**Illustration de la page couverture
et illustrations intérieures**
Monique Chaussé

Dépôt légal: 2e trimestre 1998
Bibliothèque nationale du Québec
Bibliothèque nationale du Canada

ISBN 2-7617-1518-7

Imprimé au Canada
1 2 3 4 5   02 01 00 99 98

Chapitre I

Les coudes posés sur la caisse enregistreuse, David contemplait d'un œil mélancolique la quantité de produits que son patron, monsieur Trottier, ne cessait d'accumuler sur le comptoir.

Respirant sans plaisir l'odeur désagréable de la pharmacie, David s'efforçait d'étouffer les irrésistibles bâillements qui, à intervalles réguliers, s'emparaient de lui. À cette heure matinale, une chose était certaine : il aurait payé cher pour pouvoir réintégrer son lit.

Au départ, son regard avait accueilli avec bienveillance la première vague de pastilles pour la toux, de pansements adhésifs, de bouteilles d'aspirines et de canettes de crème à raser que monsieur Trottier avait déposés près de lui, mais les sacs s'accumulant en une pyramide de plus en plus grosse, il avait pris peur.

« Il ne s'arrêtera donc jamais ! » pensa David avec effroi en se laissant aller à bâiller une nouvelle fois.

— Mets donc la main devant ta bouche quand tu bâilles, marmonna le pharmacien.

David se souvint alors des exercices d'assouplissement recommandés par René, son entraîneur. «Chaque matin, devant le miroir, contractez les biceps. Un, contractez! Deux, relâchez! Un, deux! Un, deux! Inspirez, expirez! Inspirez, expirez!»

Le garçon se mit à l'œuvre pendant quelques minutes, mais lorsqu'il décolla son regard de ses bras musclés, le spectacle qu'il découvrit le consterna: devant lui se trouvait la plus énorme livraison qu'il eût jamais eu à transporter! Et monsieur Trottier était en train de parachever son œuvre avec une grosse bouteille de sirop dont la couleur brunâtre ne présageait rien de bon.

Le pharmacien se tourna vers lui:

— Fais très attention à ça, fit-il en désignant le sac qui contenait la bouteille. C'est un produit très cher, ajouta-t-il d'un ton presque menaçant.

David transféra sans entrain les produits dans son sac à dos, prenant bien soin de coincer la bouteille de sirop de manière qu'elle ne puisse pas bouger. Lorsqu'il eut terminé, le patron lui tendit sa feuille de route. Elle était deux fois plus longue que d'habitude! Jamais il ne serait rentré à temps pour son entraînement! Il allait encore se faire sermonner par René!

Il consulta de nouveau la liste, histoire de déterminer le meilleur itinéraire. Parmi les noms familiers, il eut la mauvaise surprise de découvrir celui de monsieur Raymond, ce qui lui tira un sursaut de mauvaise humeur. Non seulement Raymond demeurait à l'autre bout du quartier, juste derrière l'hôpital, mais il était propriétaire d'un énorme chien que David détestait.

«Pourvu que son maudit chien me laisse en paix cette fois», pensa David.

Le pire, c'était que Raymond, avec sa barbiche mal peignée, ses cheveux en bataille et ses épaules affaissées, ressemblait à son affreux chien. Et, circonstance non atténuante, Raymond était le seul client qui ne laissait jamais de pourboire.

— À quoi rêves-tu? fit monsieur Trottier. Allez, dépêche-toi!

David sursauta et alla chercher son vélo resté dans l'arrière-cour. C'était un vieux modèle qui lui avait déjà été très utile, mais qui n'était plus digne d'un futur champion. Heureusement, plus que quelques samedis, et... fini l'esclavage de la pharmacie! David pourrait enfin s'offrir le Super V 4000 qu'il convoitait depuis des mois. C'était pour ça, uniquement pour ça qu'il s'obligeait ainsi, chaque fin de semaine, à venir gagner quelques dollars à la pharmacie où travaillait sa mère. En vain, son oncle Roger avait proposé de lui avancer l'argent: le garçon ne voulait dépendre de personne. Son vélo, il se le payerait lui-même, à la force de ses pédales.

David enfourcha sa bicyclette, sortit de la cour puis, sans hésiter, prit la direction de l'hôpital. Au bout de quelques minutes, la sueur perlait sur son front. Il faisait chaud ce matin-là, et on eût dit que la petite pluie tiède de la fin juin déposait de la graisse sur la chaussée bien malmenée par l'hiver.

«Mon Super V, mon Super V», fredonnait David en imaginant son nouveau vélo. Pour le critérium de septembre, les autres concurrents auraient intérêt à s'accrocher, car il leur réservait une surprise de taille : un bel engin tout neuf muni de roues en graphite, de freins à disques et d'une suspension avant de type moto !

Monsieur Trottier et sa pharmacie n'étaient plus que de lointains souvenirs lorsque, tout à coup, une boule de poils bruns traversa la rue devant lui. Il pressa violemment sur les deux poignées de frein et la roue arrière du vélo dérapa, décrivant un large arc de cercle sur la chaussée détrempée. « Le sirop ! » pensa David en même temps que sa tête frappait le sol et que son sac à dos s'écrasait sur l'asphalte. Allongé dans la rue, David s'enfonça doucement dans un épais brouillard.

« Le sirop ! Le sirop ! » Une foule agitée s'amassait autour de l'adolescent recroquevillé sur lui-même. Au premier rang, monsieur Trottier brandissait une énorme liste de pharmacie, suivi de Raymond tenant en laisse son horrible chien.

« Le sirop ! Le sirop ! »

La foule s'apprêtait à le piétiner lorsque David se raidit : « Non ! »

Le cri d'effroi qu'il poussa le tira de son évanouissement. Il ouvrit les yeux et vit un visage incliné vers le sien. Ce visage n'était pas celui de Raymond, ni d'aucune autre personne de sa connaissance. David regarda mieux. Une fille d'environ quatorze ans était penchée au-dessus de lui ! Elle était blonde et portait des lunettes. David la trouva pâle et trop maigre.

La fille posa doucement la main sur son épaule.

— Alors, comment ça va ?

David ne répondit pas et regarda autour de lui. Disparus, Raymond, monsieur Trottier et la foule menaçante. Quand il tourna la tête, il eut l'impression que toutes les armées du monde se faisaient la guerre sous son crâne. Malgré la douleur qui lui brouillait la vue, il vit que son sac à dos était imbibé d'une grosse tache brune. Il murmura : « Le sirop... » En se redressant, il prit appui sur sa main droite et gémit.

— Tu as besoin d'aide ? demanda la fille.

— Il faut qu'il aille à l'hôpital, dit d'une voix ferme un gros homme chauve. David reconnut immédiatement monsieur Gingras, un client de la pharmacie.

L'homme se pencha sur David.

— Comment te sens-tu, mon garçon ?

Soutenu par la jeune fille qui n'avait pas bougé depuis le début de la scène, David se mit debout en vacillant.

— Oh, je crois que ça va aller, dit-il.

— À mon avis, il faudrait que tu te fasses examiner, fit monsieur Gingras. Je vais te conduire à l'hôpital.

— Je vais l'accompagner moi aussi, dit la fille.

— Bon, d'accord, fit David.

Sa main valide posée sur l'épaule de la fille, il marcha péniblement jusqu'à la voiture de monsieur Gingras, qui avait abaissé la banquette arrière afin d'y introduire la bicyclette.

Durant le court trajet jusqu'à l'hôpital, les trois passagers restèrent silencieux. Monsieur Gingras était rivé au volant et David, dont la tête semblait abriter un marteau-piqueur, n'était vraiment pas d'humeur à bavarder. Quant à la jeune fille, elle était paralysée par une forte émotion, tellement intimidée qu'elle n'osait pas rompre le silence. En effet, si elle n'évoquait rien à David, l'inverse n'était pas aussi vrai.

Dès son entrée à l'école secondaire, deux ans auparavant, Alexandra, c'était son nom, avait remarqué David et, depuis, il était devenu l'objet de ses rêves. Selon elle, «il» était le plus beau garçon du monde.

À l'hôpital, monsieur Gingras accompagna David pour les formalités d'accueil, puis il lui dit :

— Écoute, je ne peux pas rester ici plus longtemps, car j'ai un rendez-vous important. Je te laisse en compagnie de..., mais quel est votre nom, mademoiselle ?

— Alexandra, fit la fille en rougissant.

— Alors ça ira, David ? insista monsieur Gingras. Donne-moi ton numéro de téléphone, je vais appeler ta mère.

— Non, non, dit David, je ne veux pas l'inquiéter pour l'instant, je l'appellerai moi-même un peu plus tard. Mais pourriez-vous prévenir monsieur Trottier à la pharmacie ?

Monsieur Gingras acquiesça et lui souhaita bon courage, puis il s'en alla rapidement. David se retrouva seul avec Alexandra dans la salle d'urgence qui offrait un piteux spectacle. Un homme silencieux, une jambe tendue devant lui, se balançait sur son siège dans un mouvement lancinant. Une femme échevelée tamponnait à intervalles réguliers son avant-bras, que traversait sur toute la longueur une large plaie rosâtre. Des enfants plaintifs se tenaient sur des chaises en plastique, aux côtés de mères au regard désolé. David repéra une main atrocement brûlée, une grosse bosse sur le front d'un tout petit garçon, et il frissonna. Face à eux, un poste de télévision diffusait des images qui semblaient n'intéresser personne.

— Tiens, là! fit Alexandra en désignant un siège resté libre, sur lequel David s'affala en soupirant, la main gauche soutenant son poignet droit.

Un drôle de silence s'installa entre les deux adolescents. C'est David qui le rompit en s'exclamant:

— J'ai une de ces soifs!

— Ne bouge pas, je reviens tout de suite, dit Alexandra en tournant les talons.

Aussitôt, David tira un petit objet de la poche de son blouson et se mit à parler comme devant un micro.

«Salut, Max. Il m'arrive une drôle d'histoire, figure-toi. Pas si drôle que ça, en fait. Je viens de me casser la gueule à bicyclette, à cause d'un chien qui s'est jeté sous mes roues. Résultat: le vélo est fini et moi aussi. Quant au chien, j'imagine qu'il court encore.

Je suis à l'urgence de l'hôpital, mais personne ne semble vouloir s'occuper de moi. Incroyable, non? Ma tête est sur le point d'exploser, mon poignet droit sera bientôt aussi gros qu'un pamplemousse et j'attends toujours. Vive l'hôpital!

En plus, imagine-toi, tout ce qu'on m'a trouvé comme garde du corps, c'est une fille moche avec des boutons sur le nez, qui doit être en première secondaire. Quand je pense que j'aurais pu être recueilli par Manon Lévesque! En fait, pour Manon, j'aurais même fait exprès d'avoir un accident. Bon, ça suffit... J'espère que tout va bien pour toi. Mais je t'en supplie: méfie-toi des chiens. Bon, je te laisse, j'ai trop mal à la tête!»

Alexandra était déjà de retour. Depuis quelques minutes, elle observait le manège de David et s'interrogeait: à quoi s'occupait-il exactement? On aurait dit qu'il téléphonait, mais l'idée que son nouvel ami possédait un téléphone cellulaire lui parut tout à fait farfelue.

Elle avança vers David et lui tendit un gobelet de jus. Il fourra l'objet dans sa poche si prestement qu'elle n'eut pas le temps de l'identifier. David vida d'un trait son verre de jus d'orange, avant de lui adresser un sourire forcé.

— C'est un téléphone? risqua la jeune fille.

David se passa la main sur le front, comme s'il était de nouveau pris de vertige.

— Ça ne va pas? dit la fille.

— Ce n'est rien, dit David, mais ça me fatigue de parler.

— C'est de ma faute, je t'ai posé trop de questions.

En fait, il avait surtout parlé à son mystérieux interlocuteur. Mais elle s'abstint d'en faire la remarque.

Il tira de nouveau l'objet de sa poche et le posa dans la main d'Alexandra en annonçant:

— Ce joujou est un magnétophone miniature.

Alexandra n'avait jamais vu de magnétophone aussi petit.

— C'est mon oncle Roger qui m'a offert cette merveille pour mon anniversaire. Et, le même jour, il a donné le même à mon frère.

Il se tut une seconde, puis:

— Tu ne trouves pas ça bizarre que l'anniversaire de mon frère soit le même jour que le mien?

— Oui, fit Alexandra. Alors, vous êtes jumeaux?

— De vrais jumeaux, précisa David fièrement. Max est champion de tennis. Le futur numéro un du Canada... Moi aussi, un jour, je serai le meilleur... Mais pas au tennis...

— Pourquoi pas? risqua Alexandra.

— Mon sport à moi, c'est le cyclisme. J'aime bien le tennis, mais le vélo, c'est toute ma vie. Le vélo et mon frère Max. Comme il s'entraîne à New York, on a eu cette idée : chaque jour, j'enregistre ce qui m'arrive. Quand la cassette est pleine, je la lui envoie, et lui fait de même. Comme ça, on se sent moins seuls, tous les deux.

Alexandra, qui était restée muette, reprit :

— C'est beau, cette façon de communiquer ! Je parie que c'est toi qui en as eu l'idée.

— Non, dit David, c'est une idée de Max. Au début, d'ailleurs, je n'étais pas tellement d'accord.

— Est-ce que Max te fait souvent changer d'avis ?

— Oui. Je trouve qu'il est souvent plus futé que moi...

— Est-ce que tu lui racontes vraiment tout ce qui t'arrive, ou bien te permets-tu de petits mensonges quand ça t'arrange ?

David se tut un instant. Cette idée l'avait désarçonné. Il reprit :

— Moi, je ne peux pas supporter les menteurs ! C'est trop facile d'inventer des histoires et d'essayer de les faire avaler aux autres. Il y a tant de monde prêt à croire n'importe quoi ! Ça devrait être interdit de raconter des mensonges aux gens... Moi, je vais te dire une chose...

Soudain, il en voulut à Alexandra. Cette histoire de mensonges avait réveillé son mal de tête. Alors que deux minutes plus tôt il se trouvait à New York auprès de son frère qu'il adorait, cette fille le replongeait dans la triste réalité.

Au bout d'une bonne heure d'attente, l'infirmière qui appelait les patients finit par annoncer le nom de David. Il la suivit jusqu'à une salle d'examen où le rejoignit bientôt une médecin, une femme au sourire chaleureux et au regard enveloppant.

— Alors, mon garçon, qu'est-ce qui t'arrive? demanda-t-elle.

Elle écouta attentivement le bref récit de l'accident, puis conclut:

— Bon, il va falloir faire des radios. Tes parents savent-ils que tu es ici?

— Non, dit David, je suis venu avec... heu, une amie.

— Alors, il faudrait bien que tu les préviennes, répliqua la médecin, appuyant ses paroles d'un sourire convaincant.

David retourna dans la salle où l'attendait Alexandra. Il avait mal à la tête et se sentait pris d'un léger vertige. D'un ton un peu brusque, il lui demanda:

— Peux-tu prévenir ma mère que je suis ici?

La jeune fille gribouilla le numéro de téléphone de David dans un carnet, puis une autre infirmière demanda au blessé de la suivre.

Affalée sur le siège libéré par David, Alexandra resta un instant sans réaction. Tandis qu'elle ouvrait et refermait son carnet d'un geste mécanique, les questions se bousculaient dans sa tête. Pourquoi s'intéressait-elle à ce garçon si différent d'elle? Il le lui avait clairement affirmé: pour lui, seules trois choses comptaient: son frère, son vélo et son magnétophone. Mais il y avait chez David quelque chose de particulier, qui la touchait sans qu'elle sache pourquoi. Elle soupira. Les sentiments, c'est bien connu, ne sont pas régis par la raison.

Chapitre II

Quelle heure pouvait-il bien être? Impossible de le savoir, car la montre de David s'était arrêtée. Ce qui était certain, c'est que, bien avant son heure habituelle, des rires dans le couloir l'avaient tiré de son sommeil. Aussitôt, la sensation désagréable d'avoir le poignet pris dans un bloc de béton lui avait rappelé son accident. À présent, il se tournait et se retournait sur son lit; il avait une de ces faims! Sans se lever, il réussit à happer son blouson de la main gauche, tira le «joujou» de sa poche et se mit à parler: «Salut, Max. Ici ton frère David pour qui les choses ne s'arrangent vraiment pas. Imagine, non seulement j'ai une entorse au poignet, mais aussi un traumatisme crânien. Alors voilà, je viens de passer la nuit à l'hôpital, maman est venue me voir hier soir et elle était plutôt énervée. Moi, ce qui m'énerve, c'est que j'en ai pour au moins trois semaines dans le plâtre, ce qui fait que je ne pourrai pas m'entraîner avant la mi-juillet. Aussi, tu me manques beaucoup, j'ai faim, j'ai très mal à la tête et j'ai envie de tout casser.»

Il éteignit l'appareil et s'assit sur le lit, les jambes pendantes. À la maison, il lui aurait suffi d'appeler pour qu'un bol de céréales et des rôties apparaissent comme par enchantement... Malgré ses quinze ans, sa mère le dorlotait encore comme un enfant. Mais ici, dans cet endroit désagréable, que pouvait-il faire? Il frissonna et replongea sous les couvertures.

Quelques minutes plus tard, le grincement d'un chariot se fit entendre. C'était un préposé qui lui apportait son déjeuner. Puis, une infirmière entra et lui demanda:

— Alors, on a bien dormi?

C'était une femme aux yeux rieurs et au teint rousselé, dont la chevelure de feu était attachée en un chignon relâché autour de son visage. David la trouva très belle.

En guise de réponse, David fit une moue qui ne voulait dire ni oui ni non et il se rua sur son bol de céréales avec la frénésie de celui qui n'a rien avalé depuis trois jours.

— Je vois que tes mésaventures ne t'ont pas coupé l'appétit. Bravo! Pour se rétablir, il faut d'abord se nourrir, reprit la jeune femme d'une voix joviale, avant de se présenter: je m'appelle Stéphanie. N'hésite pas à m'appeler si tu as besoin de moi, ajouta-t-elle en démêlant le fil de la sonnette qui s'était entortillé derrière le lit. Si tu t'ennuies, je peux t'apporter un bon roman. Il y a une bibliothèque à deux pas d'ici.

— Non merci, je ne lis jamais de romans, dit-il en immergeant ses céréales dans le lait tiède.

— Ah non? s'étonna Stéphanie.

À quoi David, la bouche déjà pleine, répondit :

— Pas le temps !

— Pas le temps ?

— Tu sais, nous, les athlètes, on doit d'abord se consacrer à notre sport : il y a l'entraînement, les compétitions, etc.

— Et puis, chaque fois qu'on lit un roman, il faut le résumer..., poursuivit Stéphanie.

David leva la tête, surpris.

— Ah, ça, c'est vrai !

— Et puis, dans ta classe, ce sont les filles qui aiment lire...

Oui, c'était exactement ça ! Comment avait-elle deviné ? Tout en se versant une nouvelle portion de céréales, il opina tandis qu'elle enchaînait :

— Sans compter qu'il n'est pas facile de tomber sur un roman plutôt court, sans trop de descriptions, avec des illustrations drôles...

David ne put s'empêcher d'interrompre Stéphanie pour conclure : «Lire, c'est perdre son temps.» Cependant, il ne s'attendait pas à la confidence qui suivit.

— J'étais comme toi, moi aussi, mais...

— Quoi ? Qu'est-ce qui t'a fait changer ? demanda-t-il d'un ton brusque.

— Une rencontre.

— Une rencontre ? Quel genre de rencontre ?

— Une rencontre avec une phrase. La première phrase d'un roman. Une phrase magique. Après l'avoir lue, je n'ai plus été capable de m'arrêter !

— Eh bien, avant qu'une phrase réussisse à me faire lire tout un roman !

— Ne dis pas ça, répliqua Stéphanie en souriant. Dans la vie, il faut être ouvert à la découverte...

Les yeux rivés à son bol, David s'occupait à récupérer chaque parcelle de céréale oubliée sur les parois. Quand elle comprit que le garçon n'ouvrirait plus la bouche à d'autres fins que d'y enfourner sa cuillère, Stéphanie n'insista pas.

— Bon, c'est comme tu veux, fit-elle en s'en allant.

— On peut entrer ? demanda une voix chaude et ferme. Sans attendre la réponse, une tête souriante se montra. C'était l'oncle de David, le quadragénaire le plus sympathique de la terre.

— Roger ! fit David, manifestement heureux de le voir.

— J'étais de passage à Montréal pour mon travail, et qu'est-ce que ta mère m'apprend ? Une vilaine entorse, un traumatisme crânien, dis-moi, tu n'y es pas allé de main morte !

— Ils me gardent en observation jusqu'à demain. Ils ont dit que je pourrais recommencer à m'entraîner dans trois semaines, mais je crois que je m'y remettrai avant.

— Ne fais pas d'imprudences, David. Écoute la voix de la science.

Le front de l'oncle s'était barré d'une ride que David connaissait bien, indice qu'il était contrarié. Le garçon reprit :

— Si je veux obtenir une médaille cet automne, il ne faut pas que je traîne.

— Ah! fit l'oncle, vous, les jeunes, vous ne pensez qu'à la compétition. Pour moi, faire du sport, c'est d'abord participer à un jeu, et je trouve que l'issue de la course importe peu.

— Je ne suis pas d'accord, fit David. Si je joue, c'est pour gagner. Sinon, je reste chez moi.

— Je respecte ton point de vue, mais je ne le partage pas. Pour moi, le sport est un art, et le plaisir qu'il procure est plus important que la victoire.

L'oncle regarda sa montre.

— À présent, je te quitte, sinon je vais être en retard à ma réunion.

Il se leva, enfila le blouson qu'il avait négligemment jeté au pied du lit.

— Sois moins dur avec ta mère, souffla-t-il en prenant congé de son neveu. Hier soir, tu n'as pas été très gentil avec elle. C'est normal, tu sais, qu'elle s'inquiète à ton sujet. N'oublie pas qu'elle supporte à elle seule toute la charge du foyer.

Il se redressa, chercha ses clés dans ses poches, puis ajouta :

— Ah, j'ai failli oublier, ta mère m'a remis du courrier pour toi, annonça-t-il en brandissant une enveloppe qu'il déposa cérémonieusement sur la table de nuit, avant de s'en aller.

David attendit que les pas de l'oncle s'éloignent dans le couloir, puis il saisit l'enveloppe et la retourna plusieurs fois. C'était une enveloppe bleue, et son nom était écrit dessus à la main. Comme l'écriture ne lui rappelait rien, il la décacheta sans plus attendre.

L'enveloppe contenait deux feuillets. Le premier commençait par ces mots : «Cher David, ne te fais aucun souci pour moi.»

Il sauta le reste du texte, à la recherche de la signature qui figurait en bonne place au bas du second feuillet : «Jay-jay, prince de Central Park». Cela ne l'éclaira pas davantage sur l'identité de l'expéditeur, alors il reprit la lettre au début et lut d'une traite ce qui suit :

Cher David,

Ne te fais aucun souci pour moi. Tout va bien, très bien même. J'ai pris la décision qu'il fallait, j'en suis certain. J'ai toujours aimé la nature, et Central Park, je peux te l'assurer, est un lieu où elle est bien présente.

Bien sûr, j'ai versé quelques larmes. À l'âge de onze ans, il faut avoir de solides raisons pour s'arracher à son environnement habituel. Tu n'es peut-être pas au courant, mais ma mère adoptive, une alcoolique invétérée, ne m'a jamais nourri que d'injures et de coups.

Ainsi, c'est décidé, je m'installe à Central Park dès maintenant. Oui, tu as bien lu, c'est là que je vivrai désormais, c'est là que j'émigre. Je choisis la liberté. Seul et libre, je vais enfin pouvoir vivre ma vie. Je n'ai besoin de personne. Je sais lire, écrire, compter... et il serait TRÈS DANGEREUX pour moi de continuer à me présenter à l'école... Alors, ce soir, c'est décidé, j'irai détruire mon dossier scolaire. Adieu, Jay-jay! Vive le prince de Central Park!

Rassure-toi, tout est mûrement réfléchi, mon plan est au point, je n'ai rien laissé au hasard.

Cher David, New York représente probablement pour toi un monde merveilleux, une sorte de caverne d'Ali Baba des temps modernes, riche de tous les trésors du monde. New York! Ce nom seul ne suffit-il pas à évoquer les musiques les plus folles, des rues grouillantes de gens sympathiques, des films sur écrans géants, des patineurs prenant leur envol parmi les taxis jaunes et les limousines, des stars plus voluptueuses que la nuit électrique de Broadway...? Impossible de s'ennuyer, d'avoir faim, de souffrir de ces petites misères que sont le froid ou la solitude, car tout est accessible, tout est BEAU à New York, n'est-ce pas? New York, appétissante comme une grosse pomme... Une pomme qui ne demande qu'à être croquée! Oui, c'est bien ainsi que l'imaginait mon père depuis sa Pologne natale, avant de mourir écrasé sur un chantier à Brooklyn.

Enfin, je ne sais pas pourquoi je te raconte tout cela. Tu me prendras sans doute pour un affreux pessimiste, ce qui n'est pas le cas, pas du tout, puisque dès aujourd'hui, je change de vie. C'est précisément pour cela que je t'écris. Je suis vautré de tout mon long sur un banc public, à quelques mètres de deux vieilles dames très bavardes. Elles mangent des Strawberry Fields et s'en barbouillent allègrement le menton. Au cas où tu ne le saurais pas, je t'apprends qu'il s'agit d'énormes cornets de crème glacée à la fraise. D'ailleurs, ici, tout est énorme.

Oh, mais cela me rappelle que je n'ai pas déjeuné ce matin. J'ai une de ces faims! Mais je ne m'inquiète pas vraiment... Jusqu'à présent, j'ai toujours trouvé une solution à ce genre de problème... Tiens, voilà, j'en étais sûr... La plus vieille n'arrive pas à finir sa crème glacée et elle me la tend. Je savais bien que je ne mourrais pas de faim aujourd'hui! Bon. Je te laisse. Salut à toi.

Jay-jay, prince de Central Park

P.-S. Ne cherche pas à me rencontrer. D'ailleurs, New York n'est pas une ville pour toi. Ne m'écris pas non plus, je suis libre et sans adresse.

David, perplexe, se gratta la tête. Il ne comprenait rien à cette lettre. Il examina soigneusement chaque feuillet, espérant découvrir un indice. L'auteur de la lettre essayait de lui faire croire qu'il se trouvait à New York alors qu'il n'y avait pas de timbre sur l'enveloppe. Peut-être connaissait-il Max? Il relut attentivement le texte au complet, mais ne s'en trouva pas plus avancé. De guerre lasse, il se tourna vers son magnétophone : «Salut, Max ! Décidément, ça va de mieux en mieux ! Figure-toi que je viens de recevoir une lettre de quelqu'un que je ne connais pas mais qui semble bien me connaître. Et en plus, cette personne prétend vivre dans la même ville que toi. C'est peut-être ton voisin de palier ! Comme il n'y a rien d'autre à faire ici, je te la lis.»

David enregistra le texte de la lettre sans omettre aucun détail.

Chapitre III

Stéphanie lui avait recommandé de faire une sieste, mais s'endormir s'avéra difficile, tant les questions se faisaient obsédantes. C'était à n'y rien comprendre. Qui était ce Jay-jay? Un garçon qui disait habiter à New York et qui ne voulait plus aller à l'école, d'accord. Mais des enfants qui refusaient l'école, il y en avait des millions, à New York, à Montréal, et partout dans le monde! Pourquoi celui-ci lui écrivait-il personnellement? Car c'était bien à lui, David, que la lettre était destinée... Il la glissa dans le tiroir de la table de nuit, qu'il referma d'un geste rageur et, pour la énième fois, essaya de dormir. Mais il n'avait pas sommeil. «Le prince... Le prince de Central Park...», ce refrain stupide lui martelait le crâne. David tira sur le cordon de la sonnette, et Stéphanie parut.

— Je ne sais pas ce qui m'arrive, dit-il, j'ai l'impression que ma tête va exploser.

Stéphanie sourit gentiment: «C'est normal après ce qui s'est passé. Je vais aller te chercher quelque chose.»

Elle sortit et revint aussitôt, lui tendant un verre d'eau et un comprimé.

— Tu vas prendre ça, et tout ira mieux.

Pendant que David s'asseyait sur le lit, elle tira sur l'oreiller, qui libéra l'enveloppe bleue.

— Tiens, dit-elle, je vois que le facteur est déjà passé. C'est bien, tu ne perds pas de temps. Laisse-moi deviner : elle est blonde ou brune ?

Comme David ne répondait pas, elle éclata de rire : « Ou rousse, peut-être ? »

David faillit avaler son comprimé de travers et secoua la tête.

— Des nouvelles fraîches de ton frère, alors ? Bonnes, j'espère, reprit Stéphanie, avant d'ajouter : mais je suis terriblement indiscrète...

Comme elle tournait les talons, David tira la lettre de sa cachette et la lui tendit sans un mot.

Stéphanie parcourut rapidement le texte. En remettant les deux feuillets à leur place, elle dit :

— Eh bien, tu as un jeune ami très sympathique. Mais il est tout de même un peu bizarre. J'espère que tu ne vas pas suivre son exemple !

— Le problème, dit David, c'est que je ne le connais pas. Et je ne sais pas ce qu'il me veut.

Stéphanie s'étonna :

— Mais voyons ! Il semble bien te connaître, lui, pourtant !

— Je ne comprends rien à cette histoire, je t'assure, reprit David. Mon oncle m'a apporté cette lettre ce matin et, depuis, je ne cesse de me creuser la tête. Plus je cherche, plus je tourne en rond. Max est à New York, c'est certain. Mais de toute façon, qu'est-ce que Max aurait à voir là-dedans ? Ce Jay-jay, d'ailleurs, ne parle pas de lui...

— Reprenons les choses au début, fit Stéphanie. Tu dis que tu ne connais pas cet individu, ou que tu ne crois pas le connaître... Mais tout de même, cette lettre n'est pas anonyme, elle est signée...!

— Jay-jay, prince de Central Park ! Tu en as déjà entendu parler, toi, du prince de Central Park ? Les rois, les reines, les princesses, ça n'existe plus aujourd'hui !

Stéphanie l'interrompit :

— Dans certains pays, il existe encore des princes... Mais pas à Central Park, que je sache...

David resta perplexe. Après un moment, Stéphanie rompit le silence :

— J'ai une idée. Et s'il s'agissait d'un prince imaginaire ?

David haussa les sourcils. Cette histoire devenait de plus en plus compliquée. Il balbutia :

— Un prince imaginaire ?

D'un air enjoué, elle s'empressa d'annoncer :

— Dans les livres, mon cher David, il est souvent question de princes...

Puis elle se mit à énumérer des titres de livres : *Le Petit Prince*, *Le Prince et le Pauvre*, *Le prince heureux*, *Le prince des marées*, *Le prince jaune*, mettant ainsi David dans le plus grand embarras, car il n'en connaissait pas un seul. Cette histoire commençait à devenir sérieusement agaçante. Dès que Stéphanie fut repartie, il saisit la lettre et la déchira en mille morceaux.

David se rongeait les ongles devant sa fenêtre, qui surplombait le stationnement de l'hôpital, lorsqu'il lui sembla reconnaître la silhouette familière de son ami Frédéric. À quinze ans, Fred en paraissait douze. Il ne pouvait pas faire de sport à cause d'un problème à la hanche, une maladie dont David n'arrivait pas à retenir le nom, mais c'était quand même son meilleur copain.

«Hé!» fit David en se montrant à la fenêtre. Il hurla le numéro de sa chambre et, deux minutes plus tard, Fred le rejoignait. Il tint à inscrire son prénom sur le plâtre de son ami, gribouillant à côté le drôle de petit canard qui était son emblème, puis David lui fit les honneurs de sa chambre.

— Tu sais, fit-il en s'installant sur son lit, il ne m'arrive que des ennuis en ce moment.

— Bof, une entorse, ce n'est pas très grave, répliqua Fred.

— S'il n'y avait que ça, dit David, mais figure-toi qu'en plus...

Il baissa la voix et poursuivit: «En plus, figure-toi qu'on m'envoie des lettres très bizarres.» Et il décrivit en détail le message de Jay-jay ainsi que les hypothèses avancées par l'infirmière.

Freddy demanda à lire la lettre, mais David hocha la tête.

— C'est impossible, je l'ai déchirée, malheureusement!

— Ça ne m'étonne pas de toi, fit Freddy, qui connaissait les colères de son ami.

David haussa les épaules avant de reprendre:

— D'après Stéphanie, ce Jay-jay aurait quelque chose à voir avec un livre...

— Un livre ? s'exclama Fred. Attends un peu, il me semble que ce nom me dit quelque chose... Tu as bien dit Jay-jay ? Est-ce que tu te souviens de l'exposé de Marie-Sophie au cours de français ?

Si David s'en souvenait ! Mais parfaitement ! Il revoyait la scène comme si c'était hier. La timide Marie-Sophie, assise à la place de l'enseignante, les joues écarlates, les mains crispées sur ses notes, c'était un spectacle inoubliable ! Elle avait raconté à la classe une histoire abracadabrante, un roman sans queue ni tête qu'elle avait présenté comme étant son livre préféré... David avait donné un coup de coude à Freddy et chuchoté : «Tu as vu ? Elle a les larmes aux yeux. C'est ridicule ! Je te l'avais bien dit : ça rend idiot, de lire des romans.»

Dès le début de l'exposé, une folle partie de bataille navale s'était engagée. David avait gagné, comme toujours. «Touché, coulé !» avait-il lancé à l'instant précis où Marie-Sophie regagnait sa place, accompagnée de quelques rares applaudissements.

— Franchement, fit David, je ne vois pas le rapport entre l'exposé de Marie-Sophie et la lettre que je viens de recevoir !

— C'est pourtant simple. Il suffit de se rappeler le nom du héros de son roman, insista son ami et complice.

— Comment veux-tu que je le sache, puisque je te dis que je n'ai rien écouté ! riposta David.

— Heureusement, Fred était là avec ses grandes oreilles. Eh bien, mon cher, le petit chouchou de Marie-Sophie s'appelle J-A-Y-J-A-Y ! Et le livre s'intitule *Le prince de Central Park* !

Après quoi Frédéric, fier de lui, prit congé de son ami qui resta assis sur le lit, stupéfait.

Le lendemain, Fred fit irruption dans la chambre de David à la première heure. L'air triomphant, il brandissait un livre au bout de son bras.

— C'est pour toi, annonça-t-il gaiement sans même prendre le temps de dire bonjour.

David haussa les épaules.

— Je n'ai jamais dit que je voulais lire ce roman. Pourquoi tiens-tu absolument à te mêler de mes affaires ?

— C'est comme ça que tu me remercies ? fit Fred scandalisé.

Avec la précision d'un Pedro Martinez, il envoya le livre revoler dans la poubelle, puis David entendit la porte se refermer sèchement sur ses talons.

Le livre avait atterri à plat, sur les débris de la fameuse lettre. En plus du titre et du nom de l'auteur, la couverture comprenait une illustration représentant un jeune garçon assis dans une nuée de feuillages. C'était donc là le fameux Jay-jay, cet individu qui trouvait malin de troubler la tranquillité des gens respectables en leur envoyant des lettres farfelues !

David se pencha au-dessus de la poubelle pour mieux détailler l'illustration. En fait, le garçon était tout bonnement installé dans un arbre, comme aiment le faire la plupart des enfants. Sur une grosse branche, il avait installé une sorte de plancher de bois où il se tenait, face à une immense cité qui brillait de tous ses feux.

— New York! soupira David malgré lui.

Le pied droit rivé à la branche, le garçon se tenait de profil. On distinguait mal ses traits, mais la lumière auréolait le sommet de sa chevelure blond paille.

Fred n'avait pas pris la peine de décoller l'étiquette. En tirant dessus, David découvrit un petit écureuil roux qui se tenait derrière le garçon, près d'un moineau picorant des graines.

Quelques instants passèrent. Le temps pour David de prendre conscience qu'il avait en main un objet tout à fait incongru, qui devenait plus lourd de seconde en seconde et qui, bientôt, pesa plus d'une tonne. David s'en voulut de l'avoir ramassé, mais il aurait été ridicule de revenir en arrière.

Comment procéder à présent? Naturellement, il n'était pas question de se mettre à lire. Or la question se posait bel et bien: que faire avec un livre lorsqu'on n'aime pas lire mais qu'on a besoin d'en extraire le contenu?

Un disque, on le fait jouer et on l'écoute.

Une fleur, on la cueille.

Une chemise, on l'enfile.

Un animal, on le caresse.

Quand il était petit, David passait des heures avec sa tortue, une grosse bête cuirassée d'écailles verdâtres. Il la nourrissait de feuilles de laitue, de rondelles de tomates, et même de fraises, quand venait la saison. À l'époque, David habitait une belle maison, pas ce vieil immeuble plein de courants d'air qu'il détestait, et son père vivait avec eux; c'était le bon temps! La tortue était d'une gourmandise! Il suffisait de poser un minuscule morceau de fraise sur une soucoupe, et hop!, elle traversait aussitôt le jardin, le cou étiré et le bec en avant, prête à mordre.

Cette tortue, c'était un autre cadeau de son oncle. Il l'avait trouvée au bord d'un lac des Laurentides et affirmait qu'elle avait au moins cinquante ans. Un demi-siècle! À cette époque, cela dépassait l'entendement du petit garçon qu'était David.

À l'évocation de la tortue, un plan avait germé dans son esprit. Un plan grâce auquel il gagnerait peut-être l'estime de Stéphanie.

Il mit le magnétophone en marche:

«Dis-moi, Max, quelle différence y a-t-il entre une fraise, une figue et un livre? Cher frère, tu vas penser que je suis devenu complètement fou. Rassure-toi, je n'ai pas oublié que tu préfères les fraises, mais ce n'est pas la bonne réponse.»

Il marqua une pause, puis il enchaîna:

«La différence fondamentale entre une fraise et une figue est la suivante. Une fraise, on LA MANGE. Une figue, on L'OUVRE ET ON LA GOÛTE.»

Il répéta les deux dernières phrases sur le mode emphatique, puis: «Bon. Tu vas me demander: "Et le livre?" Eh bien, je te réponds tout de suite. Le livre, je vais L'OUVRIR, mais je n'y GOÛTERAI pas. Salut!»

David s'amusa à feuilleter *Le prince de Central Park* à toute allure, à la recherche d'éventuelles illustrations. Peine perdue, le livre ne contenait, en fait de croquis, que deux plans sans grand intérêt. En revanche, le mouvement des pages avait dégagé une certaine odeur. David rapprocha son nez de l'intérieur du livre. Ce parfum discret lui rappelait quelque chose.

Il se remit à feuilleter le livre, cette fois moins rapidement. Par-ci par-là, des mots éclataient comme des bulles. Il s'arrêtait alors, «lisotait» une phrase, parfois même un paragraphe, mais rarement davantage. Que penser? Oui, d'accord, le personnage s'appelait bien Jay-jay, et il se balançait de page en page tel Tarzan au bout de ses lianes, et alors? ET ALORS? En quoi cela le concernait-il?

Stéphanie ne se montrait toujours pas. David porta de nouveau le livre à son visage, et une chose de son enfance, une chose chaude et tendre lui revint dans la bouffée qui suivit. Il ferma les yeux et se retrouva loin en arrière.

C'était un jour de semaine et il était malade. Son père n'était pas allé travailler, il était resté à la maison pour s'occuper de David. Le garçon était couché, les yeux fermés, et le père, assis sur une chaise à ses côtés, lui lisait un livre. C'était un gros volume, et chaque fois qu'il l'ouvrait, le père disait à David : «Sens, sens! Tu sais, on ne lit pas qu'avec les yeux.»

À cette époque, David ne savait pas encore lire, et c'est avec émotion que son père lui avait révélé le titre du livre, *Les Contes des mille et une nuits.* Dans ce livre, une belle princesse racontait chaque soir une nouvelle histoire à son époux. Mais lorsque paraissait l'aube, moment où le roi s'en allait vaquer à ses nobles occupations, elle prenait soin de laisser son récit inachevé. Comme les histoires s'enchaînaient sans trêve, le livre n'aurait jamais dû prendre fin, mais David avait guéri et, peu de temps après, ses parents avaient divorcé. Le jour où il avait compris que son père ne reviendrait plus jamais, David avait pris en horreur les histoires inventées. Ces histoires qui poussent les pères à rechercher la compagnie de princesses inconnues.

Chapitre IV

David reposa le livre sur la table et se prit la tête entre les mains. Une idée venait de le foudroyer.

Il alluma le joujou. «Ça y est, Max, j'ai trouvé... C'est papa qui nous... enfin... qui m'envoie cette lettre. C'est le seul moyen qu'il aura trouvé pour se faire pardonner son long silence. Tu te souviens de sa dernière lettre, il y a trois ans? En fait, c'était une carte postale, une carte postale de Floride tout à fait banale, avec quelques mots griffonnés à la hâte. Toi, tu as ricané: "C'est ça, les nouvelles de papa?" Tu voulais même la déchirer, et on s'est battus. Enfin, ça n'a pas d'importance. Ce qui compte, c'est qu'il avait écrit au bas de la carte: "lettre suit". La suite, nous l'avons attendue longtemps, mais maintenant nous l'avons. Incroyable, non! Il a sans doute eu des ennuis qui l'ont empêché de tenir sa promesse. Tu sais comme il est fragile. C'est d'ailleurs la cause de ses malheurs et des nôtres, par la même occasion. À présent, il cherche à se faire pardonner. Seulement, papa n'est pas un homme ordinaire. On peut dire qu'il a trouvé un moyen plutôt original. Cher papa, ça ne m'étonne pas de lui!»

David étouffa un sanglot. Il renifla un grand coup, puis: «Eh bien, je sais ce qu'il me reste à faire. La priorité des priorités, c'est de reconstituer la lettre. Ce ne sera pas si difficile, puisque j'ai enregistré le texte. Ensuite, c'est clair, je dois lire *Le prince de Central Park*. Il y a certainement dans ce livre un message que papa veut nous transmettre. Ne t'inquiète pas, je ne vais pas en mourir.»

Sa voix s'était raffermie. Il conclut d'un ton offensif: «J'y arriverai, puisque je l'ai décidé. Après tout, je ne suis pas plus idiot qu'un autre. Salut!»

Quelques minutes suffirent à David pour remettre en place les pièces du puzzle qu'était devenue la lettre. Le travail achevé, il hocha la tête. Non, mille fois non, ces pattes de mouche ne ressemblaient en rien à l'écriture de son père.

S'il y avait une chose que David ne supportait pas, c'était la première page des romans, car elle contenait la plupart du temps des descriptions interminables. En dépit des recommandations de son enseignante de français, il envoyait habituellement promener le livre au bout de cinq minutes et, souvent, la fin du premier paragraphe le voyait refermer l'ouvrage à jamais. «Pour captiver le lecteur, pensait-il, l'auteur devrait aller droit au but et faire agir les personnages sans attendre.» Mais ça, les écrivains ne semblaient pas le comprendre.

David ouvrit *Le prince de Central Park*. Le récit commençait à la page cinq par les mots « Au voleur ! Arrêtez-le ! Arrêtez-le ! » et aucune description ne suivait. Il se mit à lire.

À l'heure du souper, il n'avait toujours pas décollé ses yeux du livre. Alors qu'il lisait encore en avalant ses spaghettis, une goutte de sauce tomates éclaboussa la page quatre-vingt-cinq, mais il n'eut pas le loisir de s'en apercevoir, la page était déjà tournée et Elmo approchait ses mains des épaules de madame Miller, déjà il la projetait sur le sol... David ne sut jamais qui était venu le débarrasser de son plateau. Il se trouvait loin, bien loin de là, aux côtés d'un petit bonhomme affamé nommé Jay-jay, un jeune garçon à la vitalité exceptionnelle qui, plus tard, serait sans aucun doute champion olympique de course à pied...

À minuit passé, alors qu'un orage terrible s'annonçait, la porte de la chambre s'ouvrit et une infirmière moustachue fit irruption dans Central Park.

— Qui a oublié d'éteindre la lumière ? demanda-t-elle avec la voix d'un sergent s'adressant à ses subordonnés figés au garde-à-vous.

Voyant que David, qui avait à peine levé les yeux vers elle, poursuivait sa lecture, elle avança d'un pas :

— Ici, c'est un hôpital, pas une bibliothèque. À cette heure, il faut dormir, dit-elle d'un ton de reproche.

— Je n'ai pas sommeil, protesta David.

À cette répartie, le sergent prit le livre des mains de David et le posa sur la table de nuit.

— Il faut respecter le règlement, lança-t-elle à David en s'en allant après avoir éteint la lumière.

«Décidément, les infirmières se suivent et ne se ressemblent pas!» soupira David. Il attendit un peu dans le noir, puis il ralluma la lumière et se remit à lire. Deux minutes après le départ de l'infirmière, il avait déjà retrouvé Jay-jay. Entre lui et Elmo, la partie s'annonçait serrée.

À deux heures du matin, David lisait encore.

À deux heures trente-sept, sa lecture s'acheva. Elle s'arrêta net parce que la page suivante était blanche. David, hagard, ne comprit pas tout de suite ce qui lui arrivait. En fait, il ne lui arrivait plus rien. D'un seul coup, il n'y avait plus rien à lire, le livre était fini.

En fait, le mot «conclusion», bien en évidence à la page cent soixante-quinze, aurait dû l'alerter mais, pressé de connaître la suite de l'histoire, David n'y avait pas fait attention.

Cette soudaine désertion de Jay-jay, David la ressentit comme une chose affreuse et son cœur se tordit. Il ouvrit à nouveau le livre, relut les premières pages, puis le feuilleta au hasard. Désormais, chaque mot lui parlait, il pouvait situer chaque épisode. Il pensa à la désinvolture avec laquelle il avait survolé le roman, quelques heures plus tôt, et il eut honte. Le livre, il ne s'était pas contenté d'y goûter, il l'avait bel et bien dévoré!

S'il n'avait pas décrypté le fameux message que son père lui envoyait, en revanche, Jay-jay, madame Miller et Ombre étaient maintenant des amis. Et quels amis! Des êtres merveilleux, pleins de générosité et de courage.

Des gens de cette trempe, mis à part son oncle Roger, il ne lui avait pas été souvent donné d'en rencontrer. Et des moments aussi intenses, il n'en avait pas partagé avec grand monde !

Il regarda la couverture avec attendrissement, fit glisser son doigt sur l'écureuil, le moineau, puis sur le visage de Jay-jay. Ce Jay-jay, où et comment le rencontrer ? Avoir partagé tant d'aventures liait des êtres pour longtemps. «À tout jamais», pensa David d'un air mélancolique.

Une idée atroce le frappa soudain. Et s'il ne retrouvait plus jamais Jay-jay ? On n'avait pas le droit de faire ça aux gens. Leur présenter des êtres merveilleux et puis, pfft... plus rien. David se redressa, se gratta le bras d'un geste nerveux. Il commençait à ressentir des démangeaisons sous le plâtre. L'auteur, ce E. H. Rhodes, c'était lui, le responsable. Le rencontrerait-il un jour ? Sa photo figurait en quatrième de couverture. Un beau visage tourmenté, des cheveux très bruns, l'air plutôt jeune. Avait-il inventé toute cette histoire ou s'était-il contenté de raconter la vie d'un de ses proches ? Était-ce sa propre enfance qu'il avait mise en scène ? Peut-être connaissait-il le père de David ? Épuisé par tant de questions restées sans réponses, David s'abandonna bientôt à un sommeil de plomb.

Une bonne nouvelle l'attendait à son réveil: le médecin venait de lui signer son congé. Ainsi, il était libre.

Il avala rapidement le déjeuner qu'on lui avait apporté, puis il rassembla ses affaires. Que devait-il faire du *Prince de Central Park*? Il n'hésita pas longtemps avant de l'envelopper dans le napperon de son déjeuner, sur lequel il écrivit: «POUR STÉPHANIE, UN ROMAN PASSIONNANT. DE LA PART DE DAVID QUI L'A LU.» Puis il plaça le paquet bien en évidence sur le lit.

Chapitre V

La mère de David était venue le chercher en voiture. Elle roula doucement pendant que son fils regardait par la fenêtre. C'était une femme encore jeune, à qui les yeux vifs et le nez fin donnaient des airs de petite fille rieuse. Elle avait longtemps fait partie d'une équipe de volley-ball et en avait conservé une silhouette mince et gracieuse. David trouvait qu'il ne lui ressemblait pas du tout.

«Je suis tout le portrait de mon père», avait-il l'habitude de répéter.

Le sourire aux lèvres, la mère caressa d'une main les cheveux de son fils et demanda:

— Alors, comment vas-tu, mon grand?

— Je t'ai déjà dit cent fois de ne pas m'appeler «mon grand», répondit David d'un ton brusque.

«Mon grand», c'était une expression de son père, et il ne permettait à personne d'autre de l'utiliser. Sa mère le savait bien pourtant!

La conductrice ralentit quand ils furent engagés dans la petite rue bordée de maisons et de jardins que David aimait bien, puis elle stationna devant le vieil immeuble qu'il n'aimait pas du tout.

Ils montèrent tous les deux à l'appartement, et sa mère fit à David les honneurs du réfrigérateur. «J'ai acheté plein de bonnes choses pour toi. Tu dois avoir faim, après ces deux jours à l'hôpital!» lança-t-elle. En effet, David était plutôt content d'être de retour chez lui.

Puis, comme elle devait partir travailler, sa mère reprit son sac et ses clés et posa un baiser sur la joue de son fils.

— Il faut que je te laisse. Je dirai à monsieur Trottier que tu es de retour, ça lui fera plaisir. Au fait, monsieur Gingras a rapporté ta bicyclette; je l'ai mise dans le garage. Bon, à ce soir, et tâche de te reposer, d'accord? dit-elle en refermant la porte derrière elle.

Sa mère partie, David tira précipitamment le magnétophone de son étui. Mais il n'eut guère le temps de s'épancher, car on sonna à la porte. Il coupa court à l'enregistrement et alla ouvrir.

— Salut, dit Fred. Est-ce que tu viens à l'école aujourd'hui?

Avec un large sourire, David exhiba un certificat médical qui l'autorisait à manquer la classe pendant deux jours.

— Deux jours de congé! Mais dans deux jours, on est en vacances!

— Dans deux jours, TU seras en vacances. Moi, j'y suis déjà, répliqua David avant d'ajouter:

— Au fait, il était super, ton livre!

— Pas possible! Tu l'as lu? s'exclama Fred.

— Je dirais même que je l'ai exploré de fond en comble. Veux-tu que je te le raconte?

David entreprit de résumer *Le prince de Central Park* à Freddy. C'était la première fois qu'il racontait un livre à quelqu'un. En vérité, il n'hésita pas à combler les défaillances de sa mémoire par des choses inventées, mais son ami ne s'en aperçut pas. Ils en étaient à l'agression de madame Miller quand Fred l'interrompit:

— Ça m'a l'air drôlement intéressant, mais il faut absolument que je parte maintenant. J'ai hâte de savoir la suite.

— Je te la raconterai ce soir, promit David.

Fred parti, David se rua dans l'escalier qui menait au garage. «Ma mère a raison, se dit-il en dévalant les marches, il ne faut surtout pas que mon patron m'oublie.»

Lorsqu'il ouvrit la porte du garage, il venait de décider de reprendre au plus tôt ses livraisons à la pharmacie, de crainte que monsieur Trottier n'engage quelqu'un d'autre à sa place. «Foi de cycliste, marmonna-t-il en cherchant la lumière, ce n'est pas une minable entorse qui empêchera David Nadeau de faire ce qu'il avait prévu!»

Il trouva sa bicyclette tristement appuyée contre le mur de briques. David saisit le guidon et essaya de la faire rouler, mais la roue avant refusa d'avancer. Décidément, ça continuait d'aller mal... et tout ça à cause d'un imbécile de chien! Celui-là, il ne perdait rien pour attendre. Si jamais leurs routes se croisaient de nouveau, il passerait un mauvais quart d'heure.

«Je dois te faire réparer au plus tôt, déclara David à son vélo. Il faut absolument que je reprenne mon travail. Je te garantis que ce maudit plâtre ne m'empêchera ni de travailler ni de m'entraîner!»

Il dénoua l'écharpe, puis réussit à glisser son bras sous le guidon, ce qui lui permit de soulever l'avant du vélo et de faire rouler la roue arrière. «Comme ça, c'est parfait, conclut-il. Dans cinq minutes, Tremblay Cycles et Sports nous ouvrira ses portes.»

Il parcourut en un temps record le chemin qui conduisait au magasin, dont la vitrine et les murs s'ornaient des plus beaux vélos du monde. David le fréquentait assidûment, la plupart du temps pour le simple plaisir des yeux.

Son enthousiasme fut de courte durée. Dès que le propriétaire du magasin le vit passer le seuil de la boutique, le vélo sur le bras, il hocha la tête. C'était un petit homme noiraud dont les vêtements étaient toujours maculés de graisse. Pour l'entretien de leurs montures, René et sa bande lui vouaient une confiance absolue.

Sans lâcher la chambre à air qu'il était en train de ranimer à petits coups de pompe et dont il surveillait amoureusement la pression toutes les trente secondes, l'homme mâchouilla sa gomme et dit en secouant la tête:

— Ouais... t'es mal pris, mon gars. L'axe du pédalier est mort, la fourche est tordue, j'peux rien faire d'autre que de te vendre un nouveau vélo.

Malgré l'air dépité de David, il baissa la tête et se remit au travail.

Chapitre VI

Son épave de vélo à la main, David rentrait chez lui. Il était près de midi et le soleil tapait dur. David avançait à une allure de tortue.

Comme il longeait le parc Lafontaine, il décida de s'accorder un peu de repos. Des yeux, il chercha un banc où s'asseoir. Il s'empressa de s'y laisser tomber et sortit de son sac un sandwich qu'il se mit à dévorer. C'est alors qu'il aperçut sur le banc voisin un homme d'une quarantaine d'années, qui était en train de boire à même une bouteille enveloppée dans un sac de papier. Il était tout rouge à cause de la chaleur, son visage luisait, et il portait la bouteille à sa bouche toutes les trente secondes.

«Ma parole, il va l'avaler», se dit David.

Il se remit à penser à la lettre. «Où est papa? Que veut-il me dire à travers Jay-jay? Et pourquoi ne se montre-t-il pas?» se demanda-t-il pour la centième fois. Sans doute son père était-il dans l'impossibilité de le contacter, mais cela, le garçon avait bien du mal à le concevoir.

La sensation de fraîcheur n'avait guère duré. De nouveau, la température se faisait harassante. Même le bruit des voitures dans la rue pourtant voilée par l'écran des arbres en devenait accablant. Sur le gazon, des enfants en t-shirts et casquettes rouges jouaient au ballon. Il faisait si chaud! Sans se redresser, l'homme aux épaules affaissées tira de sa poche une canette de bière. «De la bière chaude! Quelle horreur!» pensa David. Il décida de ne plus s'intéresser au vagabond et centra son attention sur le groupe d'enfants. Soudain, un coup de pied maladroit envoya le ballon dans sa direction, et il n'eut que le temps de se baisser pour éviter de le recevoir en pleine figure. «Tu ne peux pas faire attention?» grogna-t-il à l'intention du garçon venu rechercher son ballon une seconde plus tard.

— Excuse, je n'ai pas fait exprès, dit le petit, l'air penaud.

Le ballon serré sur son ventre, le garçon se tenait à deux pas de lui. Stupéfait, David oublia aussitôt la leçon de morale qu'il s'apprêtait à lui faire, car il était en train de constater une chose tout à fait extraordinaire. Lorsqu'il jouait avec ses camarades, à l'autre bout de la pelouse, ce garçon lui avait semblé un garçon comme les autres, mais maintenant qu'il se tenait face à lui... C'était tout simplement incroyable! Cette frêle silhouette blonde, ces lunettes dont l'un des verres était fêlé, ce menton volontaire... C'était Jay-jay en personne... Jay-jay qui, son ballon sous le bras, s'élançait déjà vers ses camarades de jeu...

David se leva d'un bond.

— Jay-jay, attends-moi !

L'autre tourna la tête et, sans s'arrêter, lança :

— Je ne le ferai plus, c'est promis.

— Je veux te parler ! Tu t'appelles bien Jay-jay ?

Là-bas, les camarades s'impatientaient.

— Tu te grouilles ? cria la jeune femme qui semblait avoir la charge du groupe.

«Pourquoi Jay-jay chercherait-il à m'éviter ?» se demanda David. Il se creusa la tête un bon moment, puis : «Je suis idiot ! se dit-il, j'aurais dû me présenter puisqu'il ne m'a pas reconnu.»

Bien décidé à réparer cette erreur, il se mit à courir vers le groupe d'enfants qui, manifestement, se préparaient à partir, car ils avaient été rassemblés en une petite troupe sur le gazon. La jeune femme leva la tête à l'approche de David.

— Qu'est-ce que tu veux ? lui lança-t-elle.

— Je suis David, bafouilla-t-il. Je voudrais parler à Jay-jay.

Mais, déjà, elle donnait à sa troupe le signal du départ, et les quinze enfants s'ébranlèrent en même temps.

— Pas le temps, dit-elle. Tu vois bien que nous devons partir.

En s'éloignant, le garçon adressa un petit sourire à David, et celui-ci maudit intérieurement celle qui lui avait enlevé la chance de connaître Jay-jay.

Il sortit le reste de son sandwich enveloppé dans une serviette en papier et le déposa sur la branche d'un arbre. Qui sait ? Si Jay-jay revenait bientôt, peut-être qu'il aurait faim ?

Un écureuil surgi d'un buisson s'approcha en sautillant et déroba une croûte tombée sur la pelouse.

David poussa un grand soupir et, sans un regard pour le buveur de bière, reprit sa route vers la maison.

« Salut, Max. Merci pour ton coup de fil, et bravo pour tes progrès au service brossé. Mes félicitations aussi à ton entraîneur. Pour la question du lob, je suis tout à fait d'accord avec lui : je trouve que tu ne plies pas assez les genoux. J'ai regardé la cassette d'Agassi, et il insiste beaucoup là-dessus. Ceci dit, je suis certain que tu donnes le meilleur de toi-même et que tes efforts te mèneront loin...

Bon. Revenons à l'essentiel. L'essentiel, en ce moment, c'est le message que contient *Le prince de Central Park*. Écoute bien. L'ennemi numéro un de Jay-jay, le dénommé Elmo, est un drogué, un type très dangereux qui agresse madame Miller et traque notre ami tout au long du livre. Eh bien, voilà, je crois que j'ai trouvé : à travers le personnage d'Elmo, papa veut nous mettre en garde contre la drogue.

Je pense que son message s'adresse autant à toi qu'à moi, mais comme il est peut-être à Montréal en ce moment, alors c'est à moi qu'il l'a envoyé.

Autre fait important : on dirait que c'est son enfance qui est racontée dans le livre. Les allusions à sa famille sont très claires. Tu as bien fait de me rappeler que c'est à New York que notre grand-père polonais avait émigré, je l'avais complètement oublié. Je savais qu'il était mort sur un chantier, mais je croyais que ça s'était passé ici, à Montréal. Autre indice important, papa s'est retrouvé orphelin très tôt, exactement comme Jay-jay, et il a pris le nom de ses parents adoptifs.

Enfin, papa a toujours aimé la nature... Ah, Max! Il faut absolument que tu te procures *Le prince de Central Park*, il y a du papa à chaque page. Je regrette un peu de l'avoir laissé à l'hôpital, mais j'espère que Stéphanie me le rendra dès qu'elle l'aura terminé.

Tu sais, il m'est arrivé quelque chose aujourd'hui. Imagine-toi que j'ai rencontré Jay-jay. Oui, oui, Jay-jay en chair et en os! Est-ce que c'est toujours comme ça quand on lit? Je veux dire : quand on a terminé un roman, est-ce qu'on rencontre toujours les personnages après?

Bon. Je te laisse maintenant. Il ne nous reste plus qu'à attendre la prochaine lettre de papa.»

Chapitre VII

David était passé chez Fred, mais il ne l'avait pas trouvé. Il était déçu, car il aurait bien voulu lui raconter son étrange rencontre.

En traversant le hall de l'immeuble, il risqua un regard distrait vers les boîtes aux lettres. «À cette heure, ma mère a certainement ramassé le courrier», pensa-t-il. Pourtant, il lui sembla voir une enveloppe à l'intérieur de leur boîte. Le cœur battant, il ouvrit le casier et saisit une enveloppe bleue, en tous points semblable à la précédente.

Tremblant d'émotion, il déchira l'enveloppe sans attendre et en tira la lettre qui suit :

Cher David,

Une fois de plus, j'ai fait une gaffe ! Oui, une fois de plus ! Mais là, ça dépasse tout ce qu'on peut imaginer, tellement que je me demande vraiment comment j'ai pu en arriver là ! Je suis complètement désespérée, et c'est pour ça que je t'écris, car je compte sur toi pour m'aider. D'habitude, quand je suis dans cet état, je vais me promener à bicyclette; tu comprends ça, n'est-ce pas, car toi aussi tu es souvent à bicyclette. Aujourd'hui, il pleuvait, mais j'y suis allée quand même. J'ai roulé longtemps sous la pluie et maintenant je suis complètement trempée. Tant pis pour moi !

Je regrette beaucoup tout ce que j'ai dit à ma mère. En fait, tout ce que j'ai dit, je ne le pensais pas du tout. PAS DU TOUT ! PAS DU TOUT ! C'EST MÊME EXACTEMENT LE CONTRAIRE ! Comment ai-je pu lui dire que je ne la voulais plus pour mère alors que, je le répète, je n'en pensais pas un mot ? Ma mère, ma mère chérie, ma terre de tendresse, pour rien au monde je n'en voudrais une autre ! Comment ai-je pu lui dire une chose pareille ! Quelle prétention de ma part ! Comment ai-je osé, moi qui ne suis rien ? De toute façon, cela ne m'étonne pas de moi. De moi, rien de moche ne m'étonne. Je réussis l'exploit de cumuler tous les défauts du monde. Oui, je suis bête, je suis méchante, je suis une voleuse, et aussi une menteuse. Peux-tu croire qu'à l'école j'ai raconté que mes sœurs étaient mortes ? Oui, je suis une fille vraiment nulle. Tout le contraire de Fanny. C'est peut-être pour ça qu'elle m'a choisie comme amie ? De toute façon, moi, je n'aime personne. N'empêche, c'est incroyable qu'une fille aussi merveilleuse que Fanny s'intéresse à moi. Merveilleuse. Non, je n'exagère pas, David. C'est sans *doute parce que ses parents l'ont voulue qu'elle est comme ça. Si belle, si lumineuse... À ses côtés, j'ai l'air d'une bête. «La belle et la bête», voilà ce que tout le monde doit penser en nous voyant!*

Une bête, c'est triste, ça ne rit jamais. À la maison, c'est exactement comme ça, on est toujours dans la tristesse. C'est à cause des récoltes qui sont toujours mauvaises. Pourtant, mon père, ma mère, mes sœurs et moi, on peut vraiment dire qu'on se tue au travail. Mais non, ça ne donne rien. Alors, nous sommes très pauvres, et le fait que ma petite sœur soit morte n'arrange rien.

Ah, la vie est vraiment trop dure! Et le pire, c'est encore de se supporter soi-même. Si je pouvais me déposer quelque part, comme on dépose un bagage à la consigne, quel soulagement! À mon avis, j'aurais vite fait de m'y oublier définitivement!

Tiens, il s'est remis à pleuvoir! Juste comme je voulais repartir à bicyclette. Tant pis, je vais y aller quand même. Elle est très fidèle, ma bicyclette. Je la plains d'être tombée sur quelqu'un comme moi.

Adieu, David!

GALLA

P.-S. L'accident de voiture, tu crois que c'est aussi de ma faute? J'ai bien peur que oui...

David, perplexe, se frotta les yeux. Il s'attendait à une lettre de son père, mais voilà qu'à la place, on lui envoyait un message incompréhensible, signé d'une plume inconnue. Décidément, tout cela devenait bien mystérieux. S'agissait-il encore d'un personnage de roman ? Il relut la lettre une seconde fois, n'en fut pas davantage éclairé, et monta à l'appartement. La table était déjà mise dans la salle à manger, et une délicieuse odeur de poulet rôti flottait dans la cuisine.

— On a des invités ? demanda David.

— Oui, ton oncle a téléphoné, il vient souper avec Janice.

David trouvait que Janice était une femme exceptionnelle et il l'aimait beaucoup. Brune, vive et amusante, elle peignait des tableaux abstraits auxquels David ne comprenait malheureusement rien. Mais elle avait fait de nombreux voyages et elle connaissait bien le désert du Sahara. Elle avait une façon bien à elle, drôle et émouvante, de raconter les dunes, les tempêtes de sable, les lions et les gazelles. S'il n'appréciait pas du tout sa peinture, David, en revanche, adorait ses histoires.

Déjà, l'oncle et la tante s'annonçaient à l'entrée.

— Bon anniversaire ! fit Janice en serrant sa belle-sœur dans ses bras.

Janice était originaire de Haiphong, près d'Hanoi. Mais elle en était partie à l'âge de cinq ans. Ensuite, elle avait longtemps vécu à Paris. C'est là que Roger l'avait rencontrée, bien des années auparavant.

«Mon Dieu, j'ai complètement oublié l'anniversaire de maman! pensa David, honteux. J'ai eu tellement d'émotions ces derniers jours...»

Sa mère était en train de déballer son cadeau, un grand tableau abstrait peint par la tante, et poussait des oh! et des ah! de contentement.

— Tiens. J'en ai un pour toi aussi, dit Janice en tendant à David un objet rectangulaire, comme le précédent, mais plus petit.

David la remercia sans entrain, puis développa l'objet qui, à sa grande surprise, s'avéra un tableau de style figuratif. «C'est encore pire que les autres fois», constata-t-il silencieusement.

Au lieu de ses barbouillages habituels, la tante avait essayé de représenter David sur son vélo aux prises avec un lion. L'animal tenait plus de la vache que du roi des animaux et David refusa obstinément l'idée d'une quelconque ressemblance avec le monstre qui pédalait sur la toile.

La mère de David, elle, était comme toujours béate d'admiration devant l'œuvre de Janice. Pendant que Roger s'agitait dans la pièce à la recherche de l'emplacement idéal pour le cadeau de sa sœur, David fit observer qu'en cette saison, les lions étaient plutôt rares dans les rues de Montréal.

— Mais voyons! Il s'agit d'un lion métaphorique, répliqua la tante. En fait, c'est ton accident qui m'a inspirée. J'ai peint cette toile très rapidement. En deux heures, elle était terminée, insista-t-elle.

David se dit qu'en deux heures on pouvait s'employer à toutes sortes de choses très utiles, alors que les énormes taches que la tante mettait sur ses toiles lui semblaient tout à fait superflues. Il serra tout de même Janice dans ses bras en émettant un bref grognement qu'elle interpréta aussitôt comme un signe de vif compliment.

On passa à table.

— Connaissez-vous un personnage de roman qui s'appelle Galla? demanda David. C'est une fille qui passe sa vie à bicyclette.

Roger réfléchit un moment, puis avoua son ignorance. La mère de David réagit par la négative. Quant à Janice, elle déclara que c'était le nom de la première femme du poète Paul Éluard, que celui-ci l'adorait, mais qu'elle l'avait quitté pour épouser le peintre Salvador Dali.

— Comment, David, tu n'as jamais entendu parler de Dali? s'étonna Janice, scandalisée. À quoi elle s'entendit répondre :

— Franchement, je ne vois pas le rapport entre la femme d'un poète et une roue de bicyclette, ce qui déclencha des fous rires.

Changeant de sujet, David s'excusa auprès de sa mère de ne pas lui avoir fait de cadeau.

— Bah, fit-elle, ce n'est pas grave, tu te reprendras l'année prochaine.

— Un bon livre, est-ce que ça te plairait? demanda
David.

Interloqué, Roger laissa retomber dans son assiette le
morceau de poulet que la pointe de sa fourchette était
en train de cueillir. La mère de David regarda son fils
comme si elle le voyait pour la première fois. Le rire de
Janice s'arrêta net. Les théories de David sur la lecture
n'étaient un secret pour personne.

David, de son côté, venait de penser que *Le prince de
Central Park* serait un excellent cadeau pour sa mère.

— Ça me ferait extrêmement plaisir, David, répondit
sa mère en échangeant avec les autres un regard de
connivence.

«Salut, Max. Imagine-toi donc que j'ai encore reçu
du courrier! Mais ce n'est pas ce que tu crois. Nous qui
attendions une lettre de papa! Déception, déception!
Écoute bien ceci...»

David enregistra la lettre, puis ajouta: «Tu ne trouves
pas que cette fille a l'air dérangée? Elle semble avoir de
gros problèmes avec sa mère. Heureusement, ce n'est
pas mon cas. C'est vrai que je la bouscule parfois, mais
c'est de sa faute, non? D'ailleurs, toi aussi, tu le fais, je
l'ai bien remarqué. Enfin, non, pas vraiment...

C'est sûr que je l'aime, maman. Ce n'est pas parce
qu'on oublie un anniversaire qu'on n'aime pas
quelqu'un... D'ailleurs, toi aussi, tu l'as oublié cette
fois-ci. Tu te souviens, l'année dernière, tu lui avais

envoyé des roses de Los Angeles... elle était vraiment contente !

Bon, revenons à cette Galla qui m'écrit... Si elle aime sa mère, c'est bien son droit. En tout cas, j'espère qu'elle n'oublie pas ses anniversaires. Au fait, tu sais quoi ? Je vais offrir *Le prince de Central Park* à maman. Stéphanie a dû finir de le lire. J'irai le chercher demain. Bonne nuit, Max.»

Chapitre VIII

Quand, le lendemain, David se présenta à la porte de ce qui avait été sa chambre à l'hôpital, il souriait déjà à l'idée de retrouver Stéphanie. Hélas, ce ne fut pas elle, mais l'infirmière moustachue qui, soudain, déboucha dans le couloir.

— Qu'est-ce que tu fais là ? lui demanda-t-elle.

David bredouilla qu'il était à la recherche de Stéphanie. L'autre fronça les sourcils.

— Elle est à la pouponnière à présent.

Comme David écarquillait les yeux, elle reprit :

— Au-dessus de nos têtes se trouve l'étage des nouveau-nés. Eh oui ! Tout le monde a commencé par là. Même un grand garçon comme toi.

David s'approcha de l'escalier, mais l'autre annonça :

— Tu sais qu'on ne doit pas déranger les infirmières dans leur travail.

David protesta qu'il devait absolument voir Stéphanie. Un moment, il pensa simuler une douleur au poignet, mais à l'idée que l'infirmière voudrait peut-être le soigner elle-même, il préféra ouvrir la porte et s'engouffrer dans la cage de l'escalier.

Arrivé au troisième étage, il tomba sur Stéphanie qui sourit en le voyant. Elle le saisit par l'épaule et le conduisit dans le couloir. Elle semblait contente de le voir et dit :

— Je te remercie beaucoup pour le livre, il est vraiment bon. Mais dis-moi, as-tu éclairci l'histoire de la lettre ?

— Plus ou moins, dit David.

— Alors, toujours dans le mystère... J'espère que tu ne fais pas de bêtises, au moins, dit-elle en désignant le plâtre éraflé. As-tu encore des maux de tête ?

David expliqua que tout allait bien de ce côté-là.

— Par contre, j'ai reçu une autre lettre, reprit-il en tirant l'enveloppe de sa poche.

— Une deuxième lettre ? fit Stéphanie sans la prendre, car elle était pressée. Alors, tu auras un deuxième livre à lire ?

« Ah non ! Je n'avais pas pensé à ça ! » se dit David.

— Bon, il faut que je retourne travailler, dit Stéphanie.

En disant : « À bientôt ! », elle lui joua un peu dans les cheveux. David, qui détestait que sa mère lui fasse ça, trouva que sous les doigts de Stéphanie son cuir chevelu ne réagissait pas de la même façon ; en fait, c'était plutôt agréable.

La jeune femme avait disparu, mais il n'avait pas eu le temps de lui demander le livre. N'osant pas la déranger de nouveau, il se dirigea vers la sortie.

Dehors, David hésita un peu en se demandant quoi faire. Il aperçut alors une bâtisse verte, un peu en retrait, et se souvint qu'un jour, de la fenêtre de sa chambre d'hôpital, Stéphanie la lui avait désignée en disant:

— Cette bâtisse abrite des centaines de livres, où sont cachées d'innombrables vies. Celui que tu cherches s'y trouve certainement. Tu verras, cet endroit est plein de richesses. Moi, j'y passe de nombreuses heures chaque semaine!

Les bibliothèques, on s'en doute, étaient bien les derniers lieux que David s'avisait de fréquenter. Il ne pouvait oublier les longues heures d'ennui qu'il y avait passées chaque fois que son enseignante de français y avait conduit la classe.

La grande porte en bois sur laquelle étaient affichées les heures d'ouverture de l'institution était entrebâillée. Le long du mur était garée une bicyclette qui semblait dater du début du siècle. Elle avait des pneus ballons, comme il ne s'en faisait plus, et le cadre rouillé faisait peine à voir. «Qui donc osait s'aventurer sur une pareille antiquité?» se demanda David.

Il colla son oreille à la porte, mais il n'entendit rien. Au bout d'une minute, il se décida à entrer et se retrouva dans une grande salle silencieuse qui lui rappela l'église où Janice l'avait emmené un jour, quand il était enfant.

Comme ses parents n'allaient pas à la messe, sa tante avait cru bon de lui faire visiter ce lieu particulier. C'était la première fois qu'il entrait dans une église et

Janice n'avait pas choisi la moindre : l'église Notre-Dame ! Pendant que le prêtre officiait, David avait observé les lieux avec curiosité. Au fond de l'église, un vitrail représentait un jeune couple et un prêtre. Le prêtre lisait dans un gros livre, et les deux personnages vêtus de pagnes baissaient les yeux. Janice avait expliqué à David qu'il s'agissait d'un baptême.

Si l'église Notre-Dame était bien sombre, la bibliothèque où il se trouvait en ce moment, par contre, était fortement éclairée. Les murs étaient tapissés d'étagères en bois où étaient rangés des centaines de livres... oui, il devait bien y en avoir autant qu'il y avait d'abeilles dans une ruche. Partout, David ne voyait que des étagères et des livres, des livres, des livres, à vous en donner le vertige ! Mais le pire, c'étaient tous ces gens immobiles, assis à de longues tables, dont le visage était sans expression mais dont les yeux semblaient dévorer les gros livres ouverts devant eux.

— Je peux t'aider, mon garçon ?
De saisissement, David avait sursauté. La personne qui lui posait la question était une jeune femme souriante, à l'allure dynamique.
— Euh, je ne sais pas... connaissez-vous une héroïne de roman nommée Galla ?
— Viens, nous allons voir ça, dit-elle en l'entraînant vers son ordinateur.
— Tu vois, c'est simple. Nom du héros : Galla. Titre du roman : *Le jour de congé*. Auteure : Inès Cagnati.

Éditeur: Gallimard. Collection: Folio, annonça-t-elle à David estomaqué.

Il la suivit ensuite à travers les rayons qui, manifestement, n'avaient pas de secrets pour elle. Elle saisit un livre et le lui mit dans les mains. Après quoi, elle regagna son siège et se replongea dans sa lecture.

Le livre à la main, David se sentait bien seul au monde.

— Dis donc, toi, qu'est-ce que tu as à me regarder comme ça? fit une jeune lectrice assise à deux pas de lui.

Elle avait des cheveux noirs lustrés et portait une blouse verte complètement défraîchie qui avait sans doute appartenu à son arrière-arrière-grand-mère. Cela ne semblait pas la déranger le moins du monde et, les coudes à plat sur la table, elle lisait comme si de rien n'était.

Saisi, David ne répondit rien et fit quelques pas vers la sortie. Puis, sans trop savoir pourquoi, il revint vers elle.

— Qu'est-ce que tu lis? demanda-t-il d'un ton brusque.

Elle souleva le livre et David vit le titre. C'était *Le prince de Central Park*. Il dit:

— Est-ce que toi aussi tu reçois des lettres bizarres?

Elle le regarda sans comprendre. «N'insistons pas, car elle va s'imaginer que je me suis échappé de l'aile psychiatrique de l'hôpital», pensa David qui chuchota, désignant *Le prince*:

— Je trouve que c'est le plus beau livre du monde.

La fille acquiesça. Il reprit:

— Jay-jay existe, tu sais.

— Galla aussi, alors, dit la fille, remarquant le titre du livre que David avait à la main.

— Ah, fit David. La femme de Paul Éluard ?

— La femme de qui ?

— Le poète... Tu sais, celui qui a écrit «Liberté, j'écris ton nom...»

— Ouais, tu en as de la culture... dit la fille.

— C'est bien la première fois qu'on me dit ça, répondit David, avant de reprendre :

— Galla, ce n'est pas un prénom banal.

À son tour, elle sourit.

— J'aimerais bien finir les trois pages qui me restent à lire.

David rougit et se tut. Elle avait une façon bien à elle de se tenir, toute droite, le livre posé entre ses mains. Elle lisait, lisait, et David la dévorait des yeux. Non pour sa beauté, car son visage mince ne présentait aucun charme particulier. Ce qui le fascinait, c'était la mobilité de ses traits. En l'espace de quelques minutes, une dizaine d'expressions différentes s'étaient succédées sur son visage. Il aurait voulu lui demander si elle venait souvent à la bibliothèque, mais il n'osa pas interrompre sa lecture de nouveau. «Elle a l'air de bien s'amuser avec Jay-jay», pensa-t-il, presque jaloux.

La fille leva la tête, fixant un point imaginaire, et soupira :

— C'est vrai que c'est un beau livre. Mais celui que tu as choisi est très bon aussi. Je l'ai lu la semaine dernière.

— Ah, vraiment ? fit David. Est-ce que tu pourrais me le résumer ?

— Te le résumer ? Hmmm... ce serait difficile ! Et puis, quel dommage de tenter de résumer un livre pareil ! C'est en lisant qu'on pénètre au cœur d'un roman et qu'on entre en relation avec les personnages... Tout ça ne peut pas s'exprimer dans un résumé.

David se revit dans Central Park, aux prises avec Elmo, puis il se souvint de son émotion à la fin du livre, et du déchirement qu'il avait alors ressenti, comme si sa lecture l'avait rendu hypersensible.

— Oui, tu as sans doute raison. Je le lirai peut-être, mais pour l'instant je suis encore sous l'effet du *Prince de Central Park*, tu vois ce que je veux dire ?

— Je comprends très bien. Chaque livre possède son propre univers... et on ne passe pas facilement d'un monde à un autre.

— Malheureusement, je suis du genre «pressé-stressé». Et je dois absolument savoir ce qu'il y a dans ce livre, insista David. Puis il ajouta : j'ai un sérieux problème, tu sais. J'ai eu un accident à bicyclette, et depuis je ne cesse de recevoir des lettres anonymes.

— Ah, oui ? Mais c'est très romanesque, ça !

— Je pense bien avoir trouvé l'auteur de la première lettre, et il semble que *Le jour de congé* devrait m'aider à éclaircir le mystère de la deuxième.

— Eh bien ! Où est le problème ? Lis-le, puisque tu l'as !

— Le problème, c'est que je n'aime pas... commença David.

Par crainte du ridicule, il s'arrêta net et sauta du coq à l'âne en désignant la blouse verte :

— Est-ce que tu t'habilles toujours comme ça ?

— Tu veux parler de ma blouse ! C'est vrai qu'elle n'est pas très belle, mais je suis à l'aise dedans. Tu sais, j'habite loin, j'ai fait trente-cinq kilomètres à bicyclette ce matin.

— Trente-cinq kilomètres ? Avec le retour, ça fait beaucoup, reprit David. Participes-tu à des compétitions ?

— Non. Le vélo, pour moi, c'est plutôt un moyen de transport parce que j'habite en banlieue. Bientôt, ça va être terrible parce que je devrai aller travailler tous les jours.

— Est-ce que tu aimes ta mère ? demanda David tout à coup.

— Ma mère ? Bien sûr que j'aime ma mère ! dit la fille en se remettant à lire.

David se rendit au comptoir pour emprunter le livre. Lorsqu'il revint à la table de lecture, la fille s'était envolée. Il se rua vers la sortie et s'aperçut que le vieux vélo aussi avait disparu. Il s'installa à la place laissée libre et commença à lire *Le jour de congé*.

Dès la première page, il fut saisi.

Il en avait connu des dizaines, de ces promenades à vélo par mauvais temps !

L'une d'elles, surtout, était mémorable. Comme Galla, dans le roman d'Inès Cagnati, son père et lui avaient roulé sous une pluie battante, une pluie dont on pouvait penser que jamais elle ne cesserait. À un moment donné, terrassé par la fatigue, David s'était jeté par terre, les bras en croix. Son père avait beau l'encourager, cela ne servait à rien, il était épuisé et transi, il n'en pouvait plus des gouttes glacées qui coulaient sur son visage et des vêtements mouillés qui lui collaient à la peau.

Le père, désolé, avait beau répéter: «Allons, mon grand, encore un effort!», c'était inutile. Étendu dans la boue, David était devenu indifférent à tout. Le père avait fini par le prendre dans ses bras, comme un bébé, il avait fait quelques pas sur la route en montrant le pouce, et un camion s'était arrêté.

— Il n'a pas l'air bien, avait dit le chauffeur, un fermier qui habitait à quelques kilomètres de là. David claquait des dents, et son père lui épongeait le front avec son mouchoir déjà bien trempé.

Dans la grande cuisine où un poêle à bois était allumé, il faisait chaud et ça sentait bon. La femme du fermier lui avait préparé un bol de lait chaud et, tout de suite, il s'était senti mieux. Aujourd'hui, il se souvenait encore parfaitement des mains de cette femme, de grosses mains rouges, comme celles de la mère de Galla dans le roman. Des mains qui, peut-être, lui avaient sauvé la vie.

La femme avait aussi offert un bol de lait à son père. Intimidé, celui-ci avait d'abord refusé, mais elle avait insisté:

— Ben voyons, buvez donc!

David avait bu son lait d'une traite, puis la femme l'avait servi de nouveau. À la fin, il s'était étendu sur le banc de bois, la tête posée sur les genoux de son père, et s'était endormi. À son réveil, la pluie avait cessé. Son père et lui avaient alors enfilé leurs vêtements secs et le fermier les avait raccompagnés à l'endroit où il les avait trouvés. Les vélos étaient toujours là. Son père avait sorti un billet de cinq dollars de son blouson, mais l'homme n'avait pas voulu le prendre. David revoyait encore son geste de refus, alors qu'il disait : «Mais non, c'est normal, il faut bien s'entraider.»

David se replongea dans le livre. Il y était question de vin chaud à la cannelle. David n'en avait jamais bu et cela lui semblait étrange. Il interrogerait Janice à ce sujet. Les choses bizarres, elle connaissait ça !

Mais le plus bizarre, c'était que Galla, l'héroïne du livre, lui faisait penser à la fille de tout à l'heure. Elle aussi avait des cheveux noirs et portait une blouse verte. De plus, elle circulait sur une vieille bicyclette avec des pneus ballons. Décidément, c'était trop ! Il sortit son magnétophone et chuchota : «Salut, Max. Sais-tu où je suis en ce moment ? Dans une bibliothèque, imagine-toi donc ! Pour les lettres anonymes, je crois qu'on est sur la bonne piste. Tout à l'heure, j'ai rencontré une fille à bicyclette, enfin non, un livre qui parle de cette fille, et… Dis-moi, Max. Les personnages de roman se promènent-ils comme ça dans les rues ? À moins que l'auteure, cette Inès Cagnati, n'ait pris modèle sur la fille de tout à l'heure ? Dans ce cas, c'est sans doute cette fille qui m'a écrit... Bon, je retourne à ma lecture. Salut!»

Non seulement David réussit à attraper Stéphanie à la sortie de l'hôpital, mais elle accepta de bonne grâce de lui rendre *Le prince de Central Park*.

— Les livres aiment voyager, dit-elle avec son charmant sourire.

Il se hâta de rentrer chez lui et se cacha dans sa chambre pour emballer le livre. Puis, saisissant une banane sur le comptoir de la cuisine, il la joignit au livre et tendit le tout à sa mère en criant: «Banane-hiver-sert!»

— C'est très gentil, dit sa mère en déballant le cadeau. Je vois que l'influence littéraire de Janice commence à faire son effet. Je t'en félicite.

David bredouilla que, par le plus grand des hasards, il était tombé sur un ou deux bons romans, certainement les seuls livres intéressants qui existaient, mais qu'il n'avait pas du tout l'intention de se mettre à lire...

— Tu connais mon point de vue sur le sujet, ajouta-t-il d'un ton sarcastique. De ce côté-là, je suis le contraire de papa.

— C'est vrai que ton père lisait beaucoup, soupira sa mère. Parfois, il en venait à confondre les livres avec la vie, ce fut bien là notre malheur...

À ces paroles, David réagit vivement.

— Mais c'est toujours comme ça quand un livre nous plaît! Tiens, moi, aujourd'hui, je suis entré dans une bibliothèque et j'ai lu un livre. Je t'assure qu'au bout de deux heures, j'étais presque aussi fatigué que si j'avais moi-même pédalé pendant un orage.

— Oh, à propos, monsieur Trottier vient d'engager un nouveau livreur.

— Ah, non! Il n'a pas attendu longtemps pour me remplacer, s'exclama David.

Chapitre IX

La question des vacances d'été trottait dans la tête de tous les adolescents du quartier. Pour la plupart, d'ailleurs, cette question n'en était pas vraiment une, puisque leurs parents avaient décidé pour eux. Ainsi, Fred venait d'annoncer à David l'odieuse nouvelle de son enrôlement de force chez McBurger. David, lui, semblait bien rêveur.

— Eh bien, que t'arrive-t-il? demanda Fred. Je te trouve bien tranquille depuis quelque temps.

En effet, David n'était pas dans son état habituel. Les situations extraordinaires qu'il vivait en ce moment lui donnaient envie d'aventures hors du commun. Pourquoi se contenter de l'ordinaire quand la forêt des possibles était là, à portée de la main? Suivre l'exemple de Jay-jay, s'enfuir, mais à bicyclette comme Galla, n'était-ce pas la solution?

Il fit part de ses réflexions à Freddy, qui s'esclaffa:

— C'est bien beau, tout ça, mais tu oublies un petit détail, il me semble: tu n'as plus de bicyclette!

Il éclata de rire et poursuivit :

— Mon pauvre David ! Qu'est-ce qui t'arrive ? Je ne te reconnais vraiment plus !

Depuis que David lui avait résumé et commenté *Le jour de congé*, Fred ironisait parce que David s'intéressait à une fille.

— Je ne suis pas tombé amoureux, répétait David, je te dis simplement que Galla est une fille extraordinaire. Elle a du caractère, elle est sportive et elle est très intelligente... ce n'est vraiment pas banal !

— Comment peux-tu t'enflammer à ce point pour quelqu'un que tu n'as jamais vu ?

— Mais voyons ! insista David, énervé. Je te dis que je l'ai rencontrée. La fille du livre, c'est elle, Galla, la fille à la bicyclette. Et je pense même que c'est elle qui m'a écrit les deux lettres. Ah, si je savais où la retrouver...

— Tu n'as qu'à retourner à la bibliothèque puisqu'elle habite dans un livre...

— Franchement, Fred, permets-moi de te dire deux choses : la première, c'est que tu es mon meilleur ami. La deuxième, c'est que tu ne dis pas que des niaiseries, s'exclama David en prenant immédiatement le chemin de la bibliothèque.

Tout en avançant à grandes enjambées, il se demandait s'il allait oser parler à Galla. Elle était impressionnante, cette fille, et une chose sautait aux yeux : elle n'avait pas un caractère facile. Il ralentit le pas et faillit faire demi-tour, mais une voix familière, celle de Max peut-être, souffla à son oreille: «Vas-y, David», et il poursuivit sa route sans plus s'arrêter.

Il avait bien fait de ne pas rebrousser chemin. Juchée sur son antiquité, Galla (pour David, cela ne faisait aucun doute, c'était bien ainsi qu'elle se nommait) était en train de traverser le stationnement de la bibliothèque. David surmonta sa timidité et cria: «Galla!» Elle tourna la tête, le reconnut et fit «Salut!» en poursuivant sa route.

David se mit à courir derrière elle en criant: «Attends!» Elle se décida à mettre pied à terre. Enfin, il l'avait retrouvée! C'est ce qu'il se disait en la dévorant des yeux. Mais son étonnement et sa gêne étaient si forts qu'il ne trouvait plus rien à dire. Elle rompit le silence.

— Je n'ai pas beaucoup de temps, tu sais. À présent, je travaille tous les après-midi.

Il fallait à tout prix qu'il trouve quelque chose, sinon elle allait filer comme la première fois.

— Sois prudente, bafouilla-t-il en désignant son bras blessé, les chiens sont parfois dangereux pour les cyclistes. Moi, c'est un chien qui m'a fait ça.

La fille ouvrit de grands yeux:

— Il t'a mordu?

— Non, dit David, mais je lui dois la plus belle chute de ma vie et ce maudit plâtre!

— Tu es vraiment très gentil de me prévenir, mais tu sais, tous les chiens ne sont pas méchants...

— Au fait, dit David, j'ai fini le livre. Je devrais dire «ton livre».

Elle prit un air étonné.

— Mon livre ? Qu'est-ce que tu entends par là ?

— Eh bien, *Le jour de congé*, le livre dont tu es l'héroïne. Est-ce toi qui l'as écrit ?

La fille éclata de rire.

— Bien sûr que non, je n'en serais pas capable.

— Tu m'as écrit des lettres pourtant... osa David d'un ton lourd de sous-entendus.

— Des lettres ? Jamais de la vie, je déteste écrire des lettres. Bon, excuse-moi, mais il faut que j'y aille. On se reverra peut-être un jour, dit-elle en prenant le large.

David admira l'aisance avec laquelle elle contournait les voitures garées dans le stationnement, puis elle disparut sans un geste d'adieu. Cela lui causa une grande tristesse.

Lorsque David franchit le seuil de son immeuble, les mêmes questions se bousculaient toujours dans sa tête à propos de Galla, des deux lettres et du *Jour de congé*. «Incompréhensible !» pensa-t-il à voix haute.

Dans le hall, il croisa la vieille madame Desjardins qui rentrait chez elle avec des sacs débordants de provisions. Elle s'approcha de lui en trottinant, les yeux écarquillés derrière ses lunettes.

— Que se passe-t-il ? Tu dis que ce n'est pas comestible ? demanda-t-elle d'un ton affolé.

Elle avait toujours peur qu'on lui ait vendu des légumes avariés et tenait à ce propos des discours qui pouvaient durer des heures. Depuis quelque temps, David, qui lui trouvait un petit air de madame Miller, s'était pris d'affection pour elle et, régulièrement, l'aidait à transporter ses commissions jusqu'à l'ascenseur.

Il tenta de la détromper, mais il était trop tard.

— Tu comprends, en fin de journée, comme ça, les commerçants se débarrassent de leurs légumes pourris. Tiens, regarde, dit-elle en ouvrant un des sacs.

Elle en sortit une salade et, la secouant au visage de David, demanda :

— Tu la vois ?

— Oui, oui, fit David, c'est une laitue.

— Eh bien, regarde-la, regarde-la bien, insista-t-elle. Est-ce qu'elle est belle, cette laitue ?

— Oh oui, fit David, c'est une belle laitue.

— NON, ELLE N'EST PAS BELLE ! hurla la vieille dame. Regarde-moi ça. On m'a encore vendu une salade pourrie. C'est la troisième en un mois.

Prise d'une furie soudaine, elle se mit à effeuiller la laitue comme une marguerite, éparpillant les feuilles fanées aux quatre coins du hall au fur et à mesure qu'elle les arrachait. Puis elle tourna les talons et, sans attendre l'aide de David, elle se rua dans l'ascenseur en marmonnant :

— Pourquoi faut-il toujours que ça tombe sur moi ?

David, qui n'avait aucune envie de se retrouver coincé avec madame Desjardins, laissa partir l'ascenseur. Puis il en profita pour jeter un coup d'œil à la boîte aux lettres. À son grand étonnement, il découvrit qu'il s'y trouvait une enveloppe bleue. Sans ménagement, il ouvrit le casier et tira de l'enveloppe un feuillet plié en quatre, où quelques lignes étaient écrites à la main :

Cher David,

L'ordre alphabétique est un ordre implacable, aussi inexorable que la fuite criminelle du temps.

Lis à voix haute ce qui suit: A, B, C. C'est joli, n'est-ce pas, le chant des lettres? Mais attention à ce qu'elles peuvent cacher. Par exemple, quand tu fais un devoir, tu prends ton crayon et tu te mets à écrire. Puis tu te relis et tu élimines les mots inutiles. Eh bien moi, moi, lorsqu'il s'agit d'éliminer, je suis champion toutes catégories. Car, vois-tu, pour moi, les lettres sont des personnes. Par exemple, A était quelqu'un d'admirable, mais dont il a fallu que je me débarrasse. Puis il y a eu B, puis C, et ainsi de suite...

Mon cher D, le quinze du mois d'août, lorsque sonnera l'heure du thé pour les fidèles sujets de sa très gracieuse majesté, il ne sera que midi à Montréal. Montréal, où ta montre pourrait bien s'arrêter à tout jamais...

A.B.C.

Chapitre X

David poussa la porte de sa chambre et alluma le magnétophone. Il enregistra pour Max le texte de la troisième lettre, puis déclara : « Si je m'attendais à ça ! Cette Galla me semblait sympathique, mais j'ai trouvé qu'elle avait un drôle d'air ce matin. Elle prétend qu'elle déteste écrire des lettres, mais je n'en crois pas un mot. »

Il fut interrompu par la sonnette de la porte d'entrée et alla ouvrir. Un policier se tenait devant lui.

— Es-tu David Nadeau ? demanda l'homme.

— Oui, c'est moi... répondit David.

— Tu dois m'accompagner au poste de police.

Interloqué, David demanda s'il s'agissait d'une affaire de lettres anonymes, mais le policier ne semblait pas disposé à discuter plus longtemps.

— Il faut venir tout de suite, répéta-t-il en lui faisant signe de le suivre.

Quelques instants plus tard, David franchit la porte du poste de police, où régnait une grande effervescence. Dès qu'il se fut présenté à l'accueil, un policier le prit par le bras et le conduisit dans un bureau où un autre policier, un gros homme avec des lunettes, était assis derrière un bureau encombré d'objets disparates.

— Bonjour, dit David, c'est à propos des lettres anonymes que vous m'avez fait venir?

— Ici, c'est moi qui pose les questions, fit l'autre. Je suis l'inspecteur Mongrain. D'abord, vide tes poches.

David tendit son portefeuille au policier, puis déposa sur le bureau trois pièces de monnaie, un mouchoir, un tube de colle et un paquet de gomme à mâcher.

L'homme examina le tube de colle et le fit disparaître dans un tiroir. David commençait à se sentir terriblement mal à l'aise. Il porta la main à la poche gauche de son blouson et en tira le magnétophone. L'autre s'en empara aussitôt et l'observa attentivement avant de marmonner:

— Ça doit coûter cher, un truc pareil. Où l'as-tu pris?

— C'est mon oncle qui me l'a donné.

— Bien, bien, nous vérifierons tout ça, grommela l'autre.

Il appuya sur la touche de rebobinage, puis sur celle d'arrêt, et mit l'appareil en marche. La voix de David se fit entendre. Les mots «fuite criminelle du temps» firent sursauter l'inspecteur Mongrain. Il réécouta ce passage en regardant David dans les yeux. Il maniait le joujou avec une dextérité inouïe, c'était à croire qu'il avait fait ça toute sa vie. La troisième fois, David lui tendit la lettre signée A.B.C., qu'il avait gardée dans sa poche, et dit:

— C'est une lettre, une lettre que j'ai reçue.

— Ah oui? fit Mongrain. Tu en reçois souvent, des lettres comme ça?

— Depuis mon accident, c'est la troisième.

— As-tu prévenu la police ?

David fit signe que non, et l'autre répliqua :

— La police doit tout savoir, mon garçon. Comment veux-tu que nous protégions les gens s'ils ne nous mettent pas au courant de leurs ennuis ? Mais en attendant, peux-tu m'expliquer pourquoi tu te promènes avec un tube de colle dans ta poche ?

— C'est pour réparer ma bicyclette.

— Ta bicyclette ! Elle est où, ta bicyclette ?

— Elle est brisée, fit David.

— C'est bien ce que je pensais, conclut le policier. Il se tourna vers son ordinateur et commença à écrire sans desserrer les dents. Puis il releva la tête, remonta d'un geste machinal ses lunettes sur sa tête et dit :

— Bon. Je n'ai pas de temps à perdre. Si tu avoues les faits, tout ira très vite.

Il tendit à David le texte qu'il venait de taper :

«Je, soussigné David Nadeau, né le 3 avril 1982 à Longueuil, province de Québec, reconnais les faits suivants. Ce matin, 15 juillet 1997, le visage recouvert d'une cagoule, je me suis présenté à la pharmacie Trottier. Armé d'un pistolet, j'ai ordonné au pharmacien de me remettre le contenu de la caisse, mais un client est entré et je me suis enfui en laissant tomber mon arme sur le plancher.»

— Mais, je ne comprends pas, fit David.

— Voyons, sois raisonnable. Signe, et tout sera vite réglé.

— Je ne vais tout de même pas avouer un crime que je n'ai pas commis !

— Écoute, mon garçon. Tu ne t'en sortiras pas comme ça. De toute façon, Trottier t'a reconnu.

— Mais comment a-t-il pu me reconnaître avec une cagoule sur la figure ?

— Ah ! ah ! tu vois... Je savais bien que tu ne serais pas long à dire la vérité.

— C'est faux, complètement faux. Je ne suis pour rien dans cette histoire...

La porte s'ouvrit avec violence et l'homme qui avait emmené David dans le bureau apparut.

— Inspecteur, l'autre a avoué, annonça-t-il en déposant une feuille sur le bureau. Mongrain parcourut le papier des yeux et hocha la tête.

— Tu as de la chance pour cette fois, dit-il à l'intention de David. Allez, prends tes affaires et file !

David remit son argent, son mouchoir et son paquet de gomme dans sa poche, mais Mongrain tardait à lui remettre le magnétophone.

— Qu'est-ce que tu attends ? Va-t'en, tu es libre.

— Mais, fit David, mon magnétophone...

— Pour l'instant, je le garde.

David s'engagea dans le couloir. À son passage, une porte s'ouvrit brusquement et une policière armée sortit d'un bureau. David jeta un coup d'œil dans la pièce. Menottes aux poignets, un jeune homme était prostré sur une chaise, face à un policier qui l'interrogeait.

La policière se tourna vers David.

— Qu'est-ce qu'il y a ? Tu connais cet homme ? demanda-t-elle.

David répondit par la négative et s'enfuit sans demander son reste.

Chapitre XI

Il est difficile de décrire l'état de confusion dans lequel se trouvait David lorsqu'il quitta le poste de police. Oui, il était libre, mais il avait tout de même été accusé d'une agression qu'il n'avait pas commise. Pire encore, il était désormais privé de son magnétophone, chose qui, avec son vélo, était ce qu'il possédait de plus précieux au monde.

Quant à la lettre de menaces, Mongrain se l'était appropriée. « Je la garde comme pièce à conviction », avait-il dit d'un ton sans réplique en la glissant dans un tiroir, avant d'ajouter : « Apporte-moi les autres sans tarder pour que je puisse compléter le dossier. »

Maintenant, en songeant à tout cela, David ne pouvait s'empêcher de s'inquiéter. Il se trouvait dans une situation ridicule. Alors qu'une drôle de fille s'amusait à le bombarder de lettres bizarres, la police, au lieu de le protéger, se mettait à le suspecter. Tout cela était absurde ! D'autant plus que Mongrain était bien capable de vouloir mêler Max à cette affaire. Max, qui était en pleine saison de tournois, s'il fallait que la police veuille l'interroger !

— Où étais-tu ? lui demanda sa mère, ça fait des heures que je t'attends. Imagine-toi qu'il y a eu une tentative de vol à la pharmacie.

— Je le sais, dit David. Et le maudit Trottier m'a dénoncé à la police.

Sans mentionner l'existence de la lettre, il raconta à sa mère désolée l'épisode de sa visite au poste.

— Mais pourquoi Trottier t'a-t-il accusé ? dit-elle. Il te connaît bien pourtant.

— Il doit m'en vouloir à cause de l'accident. De toute façon, Trottier ne peut pas me supporter. C'est uniquement à cause de toi qu'il me fait travailler à la pharmacie.

— Mais non, tu te fais des idées.

Désignant son bras blessé, David ajouta :

— Au fait, j'ai rendez-vous à l'hôpital dans une demi-heure pour faire examiner mon bras. Il faut que j'y aille !

Quand il fut ressorti du bureau du médecin, David se rendit au troisième étage de l'hôpital et risqua un œil du côté de la pouponnière. Les bras chargés de deux nouveau-nés braillards, Stéphanie vint à sa rencontre. Elle lui sourit.

— Alors ? Comment va ton poignet ?

David annonça qu'il serait bientôt libéré de son plâtre.

— Alors, tes misères seront bientôt terminées! lança-t-elle d'un ton distrait avant de dire, désignant les bébés : ils sont adorables, non ?

David s'efforça d'emprunter une mine attendrie et se creusa la tête à la recherche d'une phrase gentille, mais il n'en trouva pas. Tout en berçant les petites masses emmitouflées, Stéphanie chantonnait.

— Ce sont des jumeaux ? demanda David.

— Oui. Je te présente Thomas et Olivier. Regarde comme ils se ressemblent, répondit la jeune femme ravie en les présentant à la lumière.

— Quel âge ont-ils ? demanda David, soudain très intéressé.

— Tout juste cinq jours. Ils pèsent déjà trois kilos.

— Trois kilos! s'exclama David. Mais c'est minuscule!

— Pas pour des jumeaux, je t'assure. Ils ont déjà pris cent grammes!

Elle retourna de l'autre côté de la paroi de verre. David la regarda changer la couche des petits et s'inquiéta de la rudesse avec laquelle elle les manipulait.

— Tu sais, ce n'est pas si fragile que ça, un bébé, dit Stéphanie en recouchant le deuxième dans une boîte transparente qui rappela à David le cercueil de Blanche-Neige.

— On me l'a dit et répété. Les jumeaux, c'est très fragile, insista David avec une drôle de voix.

— Ne t'inquiète pas, fit Stéphanie. Ces deux-là, ce sont mes chouchous... Bon, il faut que tu partes maintenant, car je dois travailler!

Décidément, David ne pouvait plus compter sur Stéphanie pour l'aider. Elle était bien trop occupée avec ses nourrissons! Pourtant, à aucun autre moment de sa vie il n'avait ressenti un tel besoin d'être écouté et compris. Bien sûr, il aurait pu aller se confier à sa mère, à Janice ou à Roger... mais il n'en avait pas envie, il avait l'impression qu'ils ne comprendraient rien à cette histoire.

Perdu dans ses pensées, debout dans le stationnement de l'hôpital, il faillit se faire frapper par une voiture. Il releva la tête. La conductrice avait les cheveux de la même couleur que ceux de Stéphanie. Les paroles de la jeune femme lui revinrent alors à l'esprit. Quand il lui avait parlé de la première lettre, elle avait dit: «Une lettre, un livre», et par deux fois cela s'était révélé exact.

Il se dirigea vers la bibliothèque. À l'idée qu'il allait peut-être y retrouver Galla, un drôle de sentiment, mélange de gêne et de bonheur, s'empara de lui. Il posa une main tremblante sur la poignée de la porte et entra.

Une minute lui suffit pour parcourir la grande salle et se rendre à l'évidence: Galla n'était pas là. Il se rua vers la sortie dans l'espoir que, peut-être, la frêle silhouette verte se montrerait dans le stationnement, mais tout à coup il se souvint qu'elle travaillait désormais l'après-midi. Il était donc inutile de l'attendre.

«Que faire?» se demanda David, désemparé. D'un seul coup, toute son énergie avait disparu, faisant place à un sentiment de tristesse absolue. Ce livre que, deux minutes plus tôt, il était non seulement décidé à emprunter, mais à lire attentivement, voilà qu'il n'en voyait même plus l'intérêt tant l'idée de se retrouver sans Galla dans l'ambiance feutrée de la bibliothèque lui était devenue odieuse.

L'arrêt d'autobus était désert, signe que le prochain véhicule ne se montrerait pas avant longtemps. David observa que le ciel était orageux et qu'il ne tarderait pas à pleuvoir. Bon, il rentrerait à pied. En forçant le pas, il échapperait peut-être à l'averse. Au lieu de son itinéraire habituel, il coupa par des petites rues qu'il ne connaissait pas. Arriverait-il à temps ? En cette saison, les orages d'après-midi se déchaînaient parfois avec une rare violence, et la perspective d'arriver trempé à la maison n'était pas très agréable !

En fait, pour rien au monde David ne l'aurait avoué, mais il avait une sainte terreur de la foudre. Le bruit du tonnerre le faisait paniquer et, dès que survenait un orage, il courait se réfugier dans sa chambre. C'est bien d'ailleurs ce qu'il comptait faire dès son retour à la maison.

Ses pas l'avaient conduit dans une rue inconnue, où les commerces étaient rares. Une première goutte vint s'écraser sur son nez. Il accéléra le pas, et le tonnerre retentit. La pluie se mit à tomber, une pluie généreuse et sans pitié.

David avait juste eu le temps de se cacher sous l'auvent d'un magasin. « Si je bouge, je vais être trempé jusqu'aux os », pensa-t-il.

Il examina le contenu de la vitrine. Des livres de toutes sortes y étaient exposés. Des albums pour enfants, des guides de voyage et, bien en évidence, un livre portant la mention «Prix Goncourt».

Il observa plus attentivement les titres, à la recherche du *Prince de Central Park* et du *Jour de congé*, mais en vain. L'éclair qui zébra le ciel le contraint à entrer sans tarder. Il poussa la porte vitrée et pénétra dans le magasin.

C'était la première fois qu'il entrait dans une librairie.

Il dévora l'espace d'un œil insolent, à la recherche d'un vendeur. Comme personne ne se montrait, il poursuivit seul sa visite. Ce n'était pas comme à la bibliothèque, où tous les volumes se ressemblaient. Ici, les couvertures les plus diverses se côtoyaient, rouges, jaunes ou bleues, comme pour accrocher son regard. L'une d'elles ressemblait à s'y méprendre à la dernière œuvre de Janice. Il fit un pas en avant.

David n'avait jamais ouvert un livre d'art. Le papier glacé mettait en valeur les illustrations magnifiques. Chaque page était éblouissante. Il prit connaissance du titre : *De Cézanne à Matisse*. Hélas, il coûtait une fortune ! Mieux valait profiter du spectacle sur place avant l'arrivée du libraire.

Dehors, le temps était toujours aussi mauvais et la rue était devenue un véritable torrent. David saisit un autre livre, qui contenait de magnifiques photographies de l'île de Tahiti. Il le feuilleta, puis le referma à regret en se frottant les yeux. Depuis combien de temps était-il entré dans le magasin ? Une minute ? Un quart d'heure ?

Davantage? En tout cas, le tonnerre avait cessé. Il n'avait donc plus rien à faire ici. Déjà, il tournait les talons lorsqu'il s'entendit appeler par son nom. Saisi, il se retourna. Devant lui se tenait Alexandra, la fille de l'accident. Elle portait un bandeau rouge dans les cheveux.

— Salut, fit David. Qu'est-ce que tu fais ici?

— J'étais au fond, dans la remise, je cherchais un livre pour un client.

David s'étonna.

— Pour un client? Tu travailles ici?

Alexandra expliqua à David, étonné, qu'elle venait parfois aider son père.

«Ainsi, c'est son père qui tient cette librairie!» pensa David. Il dut faire un gros effort pour absorber ce fait inattendu. Il reprit:

— Eh bien, ma pauvre, je te plains. Tu passes tes vacances dans ce désert?

Alexandra sourit.

— Tu appelles ça un désert? En fait, je ne resterai ici que pendant une partie des vacances. Elle se tut une fraction de seconde, avant d'ajouter:

— Ensuite, je pars en voyage. Et toi, as-tu des projets pour cet été?

David poussa un gros soupir.

— En ce moment, je n'ai que des problèmes. Plus de bras droit, plus de vélo, plus de magnétophone... Je me suis même retrouvé au poste de police!

Ce dernier terme fit sursauter Alexandra. David, qui avait tellement besoin de s'épancher, en profita:

— Mais le pire, c'est que depuis mon accident, je n'arrête pas de recevoir des lettres anonymes.

— Des lettres anonymes? s'étonna Alexandra en remettant en place son bandeau qui avait glissé.

— En fait, elles sont toutes signées. Mais comme il s'agit de signatures invraisemblables, autant considérer qu'elles sont anonymes.

— Que veux-tu dire par «invraisemblables»? demanda Alexandra.

— Tu vas trouver ça complètement ridicule, mais je n'y peux rien. Elles sont signées par des personnages de romans.

Alexandra eut la réaction étonnée qu'il avait prévue. Il enchaîna:

— J'ai d'abord cru que c'était mon père qui avait écrit la première, mais à présent j'ai des doutes, et Max pense comme moi. Il s'agit sûrement de quelqu'un d'autre. Pour la deuxième lettre, c'est mystère et boule de gomme. Je suis sur une piste, mais la personne que je soupçonne ne fait que nier. Quant à la troisième lettre, eh bien, si les deux autres étaient plutôt sympathiques, celle-là est vraiment très étrange.

Alexandra demanda à voir les lettres, mais il expliqua que c'était impossible.

— C'est bien dommage, fit Alexandra. Et ton frère, comment prend-il tout ça?

— Pas trop mal, mais il n'est pas au courant pour la lettre de menaces. Comme nous sommes très unis, tout ce qui me trouble le touche aussi.

— Écoute, dit Alexandra, j'aimerais bien t'aider. Que dit cette lettre exactement?

— L'auteur se présente comme un assassin qui tue par ordre alphabétique, et la lettre est signée : «A.B.C.» Alexandra réfléchit un moment, puis, comme si un éclair venait de lui traverser l'esprit :

— Suis-moi, dit-elle en s'élançant dans le magasin.

Elle stoppa net devant la section «romans policiers».

— Cherche parmi les «Agatha Christie», dit-elle, interrompue dans son élan par un client qui venait d'entrer.

David se pencha vers la rangée de livres. C'était assez bizarre, car tous les livres de ce rayon portaient le même titre : *Agatha Christie*. Il se redressa. Est-ce qu'Alexandra se moquait de lui? Ce n'était vraiment pas le moment. Il chercha la jeune fille des yeux, mais le client, un vieux monsieur portant une casquette de toile, l'avait bel et bien accaparée.

David fit signe à Alexandra. Un gros livre à la main, elle demanda :

— Ça y est, tu as trouvé?

— Non, fit David d'une voix désespérée, il y en a trop.

— J'arrive dans une minute, dit-elle en s'installant à la caisse.

Elle mit le livre dans un sac, le monsieur paya, la remercia et, enfin, s'en alla. Alexandra rejoignit David.

— J'ai trouvé, dit la jeune fille d'une voix enjouée en extirpant un livre du rayon.

— Pourquoi celui-ci plutôt qu'un autre ? demanda David.

Comme elle désignait le titre, *A.B.C. contre Poirot*, David murmura :

— Je croyais que tous les livres de ce rayon s'intitulaient «Agatha Christie» !

Alexandra éclata de rire.

— Nom : Christie. Prénom : Agatha. Il s'agit de l'auteure, voyons ! C'est l'un des génies de la littérature policière ! dit-elle avant d'ajouter : championne des ventes toutes catégories, des millions de livres vendus dans le monde entier !

David, contrarié, se renfrogna.

— *A.B.C. contre Poirot.* Mais c'est complètement ridicule !

— Ridicule peut-être, reprit la jeune fille, mais Agatha Christie a fasciné des millions de gens avec ce Poirot-là ! Voilà au moins un auteur qui n'aura pas connu la misère, je t'assure !

David, qui pensait que tous les écrivains étaient riches et célèbres, hocha la tête d'un air entendu.

— Alors, comme ça, tu t'intéresses aux livres ? reprit la jeune fille en glissant celui-là dans un sac de papier.

— Pas vraiment, répondit le garçon en sortant de l'argent de sa poche.

Alexandra fit signe qu'elle n'en voulait pas.

— Oh, merci, dit David, un peu gêné. Tu sais, il m'est arrivé une autre chose un peu bizarre. Je me suis aperçu que ce que je lisais dans les romans se passait ensuite dans ma vie. Par exemple, j'ai rencontré une fille...

Il s'interrompit.

— Ah? fit Alexandra très intéressée.

Elle sortit une petite bouteille d'eau de derrière le comptoir et l'offrit à David. Il fit non de la tête et regarda dehors. La pluie avait cessé. Dans deux minutes, le ciel serait de nouveau bleu.

— Tu parlais d'une fille, reprit Alexandra, qui avait pâli.

— Oui. Une fille super.

— Comment s'appelle-t-elle? Je la connais peut-être, demanda Alexandra. Sa voix était toute changée.

— Elle s'appelle Galla. Mais je ne pense pas que tu la connaisses.

— Galla? fit Alexandra, quel drôle de nom!

— Oui, je crois que c'est italien.

— Alors, tu es allé en Italie?

— Non! Elle vit ici, à Montréal. Sa famille habite au Québec depuis longtemps. Tu ne me croiras pas si je te dis où je l'ai rencontrée.

Il s'interrompit un petit instant, et Alexandra sentit son cœur s'emballer.

— Je l'ai rencontrée dans un livre. Un bon livre, intitulé *Le jour de congé*. Est-ce que tu l'as lu?

Alexandra but quelques gorgées d'eau et fit signe que non.

— Tu diras à ton père de le placer dans sa vitrine. Et aussi *Le prince de Central Park*. Connais-tu ce livre ? Bon, l'orage est fini, il va falloir que j'y aille. À bientôt, peut-être ? dit-il en quittant le magasin, abandonnant à son triste sort une Alexandra consternée.

Chapitre XII

David s'allongea sur son lit. Que signifiait l'expression «Avant-propos» qui se trouvait à la page cinq? Il n'en savait rien. De plus, les deux pages suivantes étaient écrites en italique, ce qui, selon lui, devait signifier qu'elles ne faisaient pas partie du récit et qu'il pouvait les sauter. Ce qu'il fit sans hésiter.

Il tourna donc les deux pages, puis lut: «Au cours du mois de juin 1935...» Cela commençait mal. Pourquoi cette date? David n'avait pas de temps à perdre. Il sauta quelques pages, et tomba sur des illustrations. Elles étaient particulièrement affreuses. Il haussa les épaules. Un enfant de dix ans aurait fait mieux. Parmi les personnages difformes qui se présentaient à lui, il essaya de deviner qui était l'assassin, mais en vain.

À la page soixante-quinze, quelques lignes en italique le firent sursauter: une lettre signée «A.B.C.»! Et quelle lettre! Ironique et menaçante, elle annonçait où et quand un crime serait bientôt commis, et elle se terminait par la phrase: «nous nous amusons follement»!

Une exploration systématique du livre lui permit de trouver quatre autres lettres du même auteur. Il continua à le feuilleter au hasard. À la page soixante-douze l'attendait une surprise de taille, qu'il ne pouvait absolument pas garder pour lui.

Il saisit un stylo et recopia en grande hâte le message que normalement il aurait enregistré avec son magnétophone: «Salut, Max, comment ça va? Écoute ce que je viens de trouver dans le livre *A.B.C. contre Poirot*. C'est l'inspecteur Poirot qui parle; il dit: "Ne l'oublions pas, les femmes envoient des lettres anonymes plus souvent que les hommes." Peut-être que ce livre contient un important message pour nous? En tout cas, je vais le lire, crois-moi. "Les femmes envoient des lettres anonymes..." À mon avis, la piste "Galla" est à suivre... Dans ce cas, je n'ai pas grand chose à craindre... Et même, je vais te dire, ça me fait plutôt rire! Bye.»

L'expérience du *Prince de Central Park* avait appris à David qu'on pouvait feuilleter un livre pendant des heures sans en saisir le contenu. Aussi reprit-il le récit à son début.

Tout d'abord, il prit conscience d'un élément de première importance. L'histoire ne se passait pas à Montréal, ni même au Québec, mais en Angleterre. Ainsi, le personnage qui le menaçait habitait loin, peut-être même n'était-il jamais venu ici.

Au début, l'intrigue n'avançait guère. Deux personnages, des gens âgés, s'entretenaient de choses et d'autres et il ne se passait rien.

Ah, enfin un crime! Il était temps! Même s'il n'en avait jamais lu, David savait qu'un roman policier se caractérisait par la présence d'un assassin. Il avait aussi entendu dire qu'il y avait quelque chose d'extraordinairement agréable à ressentir des frissons en lisant la description d'un crime épouvantable, alors que l'on était soi-même confortablement installé dans son lit, la tête calée dans l'oreiller. David n'avait encore jamais vécu cette expérience et il avait du mal à imaginer que cela pouvait être exaltant.

Dans *A.B.C. contre Poirot*, la victime du premier crime était une vieille femme qui avait vécu modestement. Des vieilles femmes, David en connaissait plusieurs, dont madame Desjardins, sa voisine, et aussi une certaine madame Miller. Celle-là, il ne l'avait encore jamais rencontrée en chair et en os, mais ça viendrait sûrement. Après tout, n'avait-il pas rencontré Galla? Ceci dit, il fut un peu déçu par ce premier meurtre et se dit que dans un bon roman policier, le fait d'avoir passé l'âge de la retraite ne devrait pas empêcher que l'on ait droit à un bel assassinat.

D'autres crimes survinrent, plus élégants que le précédent. Et le coupable ne se montrait toujours pas. Pourtant Poirot se démenait comme un diable, et David ne le lâchait pas d'une semelle. Il aurait bien voulu découvrir l'assassin avant Poirot, mais cela semblait impossible!

Épuisé par les émotions de cette interminable journée, David s'endormit tout habillé sur *A.B.C.* ...

Cette nuit-là, il fit un rêve étrange où Galla, vêtue comme une princesse orientale, lui faisait visiter la caverne d'Ali Baba. D'un coup de baguette, elle actionnait le couvercle d'un énorme coffre qui s'ouvrait comme une huître. En guise de trésors, le coffre contenait un monceau de livres, tous signés «Agatha Christie». David plongeait la tête la première dans le coffre et tentait quelques brasses, mais il se sentait irrésistiblement entraîné vers le fond. «Au secours! Je me noie!» hurla-t-il lorsque l'air commença à lui manquer. Galla le saisit par le bras gauche et, sans effort, le tira du coffre. Puis elle lui plaça un volume entre les mains, et il se réveilla.

Ce matin-là, ses céréales lui parurent particulièrement délicieuses et, tout en piochant dans son bol d'une cuillère nerveuse, il se rua sur son livre comme un affamé sur sa pitance.

Pourquoi Mary Drower décidait-elle de changer de place? Quel rôle jouait monsieur Alexandre-Bonaparte Cust dans cette affaire? «Il me faut résoudre cette énigme», pensa David. Lorsque le téléphone sonna, il ne put réprimer un geste d'agacement. Qui osait le déranger ainsi, au beau milieu de sa lecture?

— Alors, tu oublies ton meilleur ami? fit la voix de Fred dans l'appareil.

Cette intrusion tombait plutôt mal, car il ne lui restait plus que quelques pages à lire. Or, il venait de trouver qui était l'assassin!

— Pas du tout, j'ai même des tas de choses à te raconter, répondit David du tac au tac.

— Toujours amoureux de la belle Galla? Dis-moi, ça devient sérieux, cette histoire...

— Peut-être... Mais je préférerais ne pas en parler au téléphone.

Il avait hâte de reprendre sa lecture et abrégea la conversation.

Sa piste était-elle la bonne? L'ingénieuse Agatha Christie avait bien compliqué son intrigue et le mystère ne fut pas facile à éclaircir. En fait, David s'était laissé entraîner sur une mauvaise piste. En souriant, il se dit que cette Agatha ne perdait rien pour attendre! Il se montrerait moins naïf la prochaine fois. Car si tous ses autres livres étaient aussi passionnants, David se promettait bien de les lire!

Chapitre XIII

La porte de la chambre s'entrouvrit. «Une lettre pour toi», dit sa mère d'une voix douce en déposant une enveloppe près de son oreiller, avant d'ajouter: «C'est Roger, on dirait.» David reconnut l'écriture désormais familière de la personne qui s'intéressait tellement à lui. Il ne put s'empêcher de ricaner intérieurement: «Tiens, tiens! Nous nous amusons follement, comme dirait A.B.C.»

Il attendit que sa mère ait refermé la porte derrière elle pour décacheter l'enveloppe. Celle-ci ne contenait qu'un seul feuillet écrit à la main comme les précédents.

Cher David,

C'est un misérable criminel qui t'écrit. Un criminel qui va peut-être laisser condamner un innocent à sa place. Je dis "peut-être", car une autre issue existe, n'est-ce pas, c'est l'évidence même: je pourrais me soumettre à la justice. Ah! Comme tout serait facile si mon choix n'en-gageait que moi! Hélas, il n'en est rien. Une autre vie dépend désormais de ma décision. Fantine, la mère de Cosette, est à l'agonie. Je lui ai promis de prendre soin de la pauvre orpheline. Si je me livre à la police, comment pourrai-je tenir mon engagement?

Que dois-je faire? Toi, David, tu sais combien il est douloureux de détenir un secret, un secret qu'il vous est interdit de partager avec quiconque. Me confier, ce serait avouer. Si j'avoue, j'abandonne une orpheline à son sort plus que misérable. Si je garde le silence, je laisse con-damner un innocent à ma place. Ah, quelle situation épouvantable! Mon Dieu, éclairez-moi! Faites que je ne devienne pas fou! Donnez-moi la force de servir la justice tout en restant fidèle à ma parole!

David, aide-moi. Dis-moi ce que tu ferais à ma place. J'ai besoin d'être soutenu! Je n'en peux plus!

JEAN VALJEAN

P.-S. Pour des raisons évidentes, je compte sur toi pour détruire cette lettre dès que tu en auras pris connaissance.

David resta songeur un moment, puis saisit un stylo.

«Salut, Max! Il y a du nouveau, figure-toi. Écoute bien ça: voilà qu' "on" me refait le coup du criminel! Il doit y avoir un autre livre dans l'air. Je pense à toi. David.»

Plus que jamais, David avait envie de parler à Galla. Il en était sûr maintenant, non seulement c'était bien elle qui lui écrivait, mais elle était orpheline, et ça, c'était une chose dont on ne pouvait pas rire! Le plus urgent, dans ces conditions, était de la retrouver. Une chose était claire: il fallait passer à la bibliothèque le matin s'il voulait avoir une chance de la trouver.

«La bibliothèque est fermée jusqu'à la fin du mois», annonçait une affiche sur la porte. Affolé, David secoua violemment la poignée, mais en vain. Il finit par donner un coup de pied dans la porte et s'en alla, furieux.

Quelques instants plus tard, bien décidé à récupérer son magnétophone, David entrait au poste de police qui, lui, n'était pas fermé. Le préposé à l'accueil lisait le journal. Il leva les yeux une seconde, demanda à David ce qu'il voulait, écouta distraitement sa réponse et se replongea dans sa lecture après lui avoir fait signe de patienter.

David resta debout quelques minutes, puis il finit par se laisser tomber sur l'unique banc de bois qui meublait la petite salle d'attente. Le temps passait. L'autre continuait à lire le journal sans s'occuper de David. «Il m'a oublié!» se dit David en se rongeant les ongles.

Au bout d'un temps qui lui sembla infini, l'homme releva enfin la tête, posa le journal sur le bureau et annonça entre deux bâillements:

— C'est l'heure du dîner. Il n'y aura personne avant une heure.

David n'entendit pas le reste de la phrase, qui se termina dans un énorme bâillement. Sur la première page du journal, un titre s'étalait en gros caractères : IL VOLE DES STEAKS POUR NOURRIR SES ENFANTS ! L'article était accompagné d'une photo. David reconnut immédiatement le visage défait de l'homme du parc Lafontaine, le type qui buvait de la bière en plein après-midi. Il se pencha et lut : «Jean Vaugeois, un père de famille en fuite depuis plusieurs mois, vient d'être arrêté. Licencié du magasin FESTIVAL, où il avait travaillé comme manutentionnaire pendant vingt ans, cet homme y avait dérobé des biftecks pour une somme de soixante dollars. Deux semaines plus tard, il avait été mêlé à une tentative de hold-up dans le quartier Rosemont. Il a été retrouvé hier alors qu'il tentait de cambrioler un autre supermarché. Il est à noter que l'inculpé ne nie pas les faits et prétend que ces vols étaient destinés à nourrir ses sept enfants.»

Sa lecture terminée, David haussa les épaules. «Je me doutais bien de quelque chose. Tout de suite, ce type m'a semblé louche.»

— Bonjour, jeune homme, fit une voix derrière lui alors qu'une main se posait sur son épaule, l'arrachant à ses méditations.

David, qui s'était levé d'un bond, demeura stupéfait. Devant lui se tenait le sosie d'Hercule Poirot. Même visage, mêmes cheveux, même moustache.

— Je remplace l'inspecteur Mongrain aujourd'hui, dit l'homme, veux-tu me suivre?

«Incroyable, incroyable», voilà tout ce que David était capable de penser tandis qu'installé à son bureau, Poirot lui tendait le magnétophone en souriant.

— Tiens, je te le rends.

David sortit enfin de sa torpeur et fourra le joujou dans sa poche.

— J'ai écouté ta cassette, reprit le policier. Il s'agit sans doute d'une plaisanterie. À mon avis, tout cela n'est pas très sérieux.

David hésita une seconde. Il lui sembla que la voix de Max chuchotait à son oreille: «Vas-y, tu peux lui faire confiance.» Alors, il n'hésita plus et tendit la dernière lettre à Poirot. Celui-ci la parcourut rapidement et sourit.

— Jean Valjean! Il y en a qui ont vraiment de l'imagination!

— Vous connaissez cette personne? demanda David d'une voix timide.

L'autre éclata de rire.

— Mais voyons, tu ne me feras pas croire que ce nom ne te dit rien! Jean Valjean! Tout le monde connaît Jean Valjean!

Face au silence de David, il reprit, d'une voix sérieuse cette fois:

— Que vous apprend-on à l'école, aujourd'hui? Victor Hugo, *Les Misérables*, ça ne te dit rien?

Voyant que, les épaules de plus en plus affaissées, David était en train de se ratatiner sur son siège, il dit:

— Ne t'en fais pas, tout ça n'est pas bien grave. Sais-tu qui t'a écrit cette lettre ? Sans doute une admiratrice inconnue, une fille qui essaie de te dire quelque chose...

Il se tut une seconde, puis :

— Des lettres anonymes, on m'en apporte tous les jours. Crois-moi, celle-ci est sûrement écrite par une femme. N'oublie pas que la plupart du temps ce sont des femmes qui envoient des lettres anonymes.

David tressaillit. Il s'agissait des paroles de Poirot dans *A.B.C.* ...

L'autre poursuivait :

— Tu sais, certaines filles sont timides. Elles peuvent emprunter des chemins détournés pour exprimer leurs sentiments. À mon avis, cette fille est une future écrivaine. Ne sois pas trop cruel avec elle.

— Elle m'a déjà écrit d'autres lettres, bredouilla David.

— Peux-tu me les montrer ? demanda Poirot. Cela me permettrait au moins de confronter les écritures.

— Je ne les ai pas sur moi. Mais je peux vous les apporter si vous voulez.

— Bon, d'accord, répliqua Poirot, qui s'était levé pour signifier la fin de l'entretien.

David poussa un gros soupir.

— Le problème, avec cette fille, c'est que je la connais, mais je ne sais pas où la retrouver. Je n'ai pas son adresse et je ne connais même pas son nom de famille.

— Elle t'écrira sans doute tout cela dans sa prochaine lettre, répondit Poirot en accompagnant David jusqu'à la sortie. À mon avis, tu n'as rien à craindre.

Il marqua une pause et, tiraillant sa moustache :

— À part peut-être de tomber amoureux à ton tour. Alors là, je comprends tes appréhensions... ajouta-t-il d'un air malicieux.

«Cet Hercule Poirot est encore plus perspicace que l'autre», se dit David quelques instants plus tard, marchant dans la rue pour éviter d'être ralenti par la foule. En fait, il n'avait plus qu'une hâte : recevoir la prochaine lettre de Galla.

À sa grande déception, la boîte aux lettres était vide. En attendant le facteur, il ne lui restait donc plus qu'à explorer la piste «Jean Valjean».

— Alors, tu ne m'as pas dit ce que raconte Roger, déclara la mère de David en posant sur la table des sandwiches aux tomates.

— Roger ? fit David, la bouche déjà pleine.

— C'était bien son écriture sur l'enveloppe que tu as reçue. Il m'a semblé reconnaître sa façon particulière de faire la boucle des «v».

— Non, dit David, ce n'est pas Roger. Et je t'interdis de lire mes lettres.

Comme sa mère laissait échapper un «Oh !» de stupeur, David reprit :

— Figure-toi que j'ai ma vie. Est-ce que je lis tes lettres, moi ?

Il profita du silence qui planait pour ajouter d'une voix plus douce :

— Si tu veux m'aider, tu ferais mieux de me parler de Jean Valjean.

— Jean Valjean, le héros des *Misérables*? Mais c'est une très longue histoire...

Il ne la laissa pas poursuivre et reprit:

— Dis-moi franchement, maman. Est-ce que tu l'as lu, oui ou non?

— Non, mais je peux te raconter l'histoire quand même.

— Comment pourrais-tu me raconter l'histoire si tu n'as pas lu le livre?

Elle soupira, remonta la mèche rebelle qui lui glissait toujours sur le front:

— Tout le monde connaît *Les Misérables*, mais très peu de gens ont lu le roman d'un bout à l'autre. Elle se leva, annonçant: «Je vais te le chercher.»

David termina son sandwich et se servit une portion de salade qu'il commença à dévorer en silence.

— C'est un très beau livre, avec une couverture rouge. Je ne le trouve pas. Il doit être en bas dans une des boîtes de ton père, dit sa mère, plantée devant la bibliothèque du salon.

David maugréa:

— Rien n'est jamais à sa place dans cette maison.

Il se leva, repoussa son assiette vide et, sans desserrer les dents, partit chercher le livre.

Sa mère eut tout juste le temps de secouer la nappe, David était déjà de retour.

— Heureusement que la poussière ne me fait pas peur, annonça-t-il fièrement en brandissant un épais volume recouvert d'une pellicule grisâtre.

Son bonheur fut de courte durée. Dès qu'il eut passé un mouchoir sur la couverture du livre, le titre apparut. Ce n'était pas *Les Misérables*, mais *Germinal*, d'Émile Zola.

— Je me suis fié à la couverture rouge, avoua David penaud.

— Mais tous les livres de cette collection ont une couverture rouge, dit la mère en riant. Ah, je me souviens maintenant. Je l'ai prêté à Janice cet hiver, et elle a oublié de me le rendre.

— Ou bien elle ne réussit pas à le terminer, dit David d'un ton sarcastique.

Il jeta sur la table le livre désormais inutile et lança à l'intention de sa mère désolée: «Comme d'habitude, je vais devoir me débrouiller tout seul.»

Chapitre XIV

Il est difficile de décrire l'étonnement d'Alexandra lorsque David déclara qu'il voulait acheter *Les Misérables*.

Elle était en train de rendre la monnaie à une cliente et, saisie, se trompa dans ses comptes. La femme, qui se dirigeait déjà vers la porte, revint sur ses pas. Alexandra rougit, s'excusa et rendit à la dame l'argent qui manquait.

— Il paraît que tout le monde connaît ce livre mais que personne ne l'a lu en entier, lança David.

— Hmm, dit Alexandra, je te le déconseille.

Elle se rendit au fond du magasin, puis revint vers lui, une cassette vidéo à la main.

— Fais comme tout le monde, regarde plutôt la version filmée. Celle-ci est très bien, je t'assure.

Sans accorder la moindre attention à l'objet qu'elle lui proposait, David répliqua :

— Eh bien, pour une libraire, tu as des idées étonnantes ! Que dirait ton père si je lui racontais que tu refuses de vendre des livres ?

Alexandra sourit gentiment.

— Tu ne ferais pas ça... Au fait, tu ne m'as pas dit si tu étais venu à bout d'Agatha Christie...

À son tour, David se dérida :

— *A.B.C. contre Poirot* ? Ah oui, c'est vraiment bon ! Le plus drôle, c'est qu'après j'ai rencontré le sosie de Poirot. Sais-tu où ? Au poste de police !

— Ah, ça, c'est incroyable ! s'exclama Alexandra.

— Dis-moi, reprit-elle d'un air inquiet, tu as des ennuis avec la police ?

— Un peu, mais ça s'est arrangé. Je peux même te dire que ce Poirot est un type très correct.

À ce moment, David réalisa qu'elle ne portait plus de lunettes. Sans doute les avait-elle remplacées par des verres de contact. Une chose lui parut évidente : sans lunettes, elle était presque jolie.

— Au fait, est-ce que tu reçois toujours des lettres bizarres ? reprit Alexandra.

— Une seule depuis l'autre jour. C'est d'ailleurs pour ça que je dois lire *Les Misérables*. Maintenant, je comprends le manège. Plus je recevrai de lettres, plus je lirai de livres, et plus je lirai de livres, plus j'accumulerai d'indices.

— Que veux-tu dire exactement ? s'écria la jeune fille, étonnée.

— C'est bien simple, reprit David. Une certaine personne veut ainsi me faire savoir qu'elle s'intéresse à moi.

— Ah oui, vraiment ? dit Alexandra qui fut obligée de s'interrompre pour servir des clients qui attendaient près de la caisse.

David en profita pour repérer la lettre «H» au rayon «littérature». Alexandra était déjà de retour.

— Voilà. Je t'ai trouvé cette version; c'est celle que tout le monde achète.

David saisit le livre et, sans l'ouvrir, lut sur la couverture «*Les Misérables*, version abrégée».

— Mais je ne t'ai pas demandé un résumé! Je veux le livre au complet.

— Voyons, dit Alexandra, ce livre contient l'essentiel. Cosette, Javert, Gavroche, c'est suffisant pour avoir une bonne idée de l'histoire.

— Mais je ne veux pas avoir une «bonne» idée, je veux lire le texte intégral.

— Mais tu n'y arriveras jamais. Dès la troisième page, tu vas abandonner. Et tu auras dépensé ton argent pour rien.

Elle se tut un instant, fixant David d'un air si grave que cela le mit mal à l'aise.

— Tu sais, ce livre n'a rien à voir avec un Agatha Christie. C'est un livre de philosophie, d'histoire, de poésie... Un livre merveilleux, mais difficile, dit-elle avec intensité. Puis elle ajouta:

— Ne m'en veux pas. C'est très bien de s'intéresser à Victor Hugo, mais il faut être réaliste: tout le monde n'a pas les mêmes capacités de lecture.

Un jeune homme, qui portait un baladeur sur les oreilles, interpella Alexandra depuis le rayon «vidéo». Elle tourna les talons, laissant sur place un David fulminant:

— Quelle prétentieuse! Gageons qu'en plus elle ne l'a même pas lu!

Profitant de l'absence d'Alexandra, il s'empara du gros livre dont il lorgnait la magnifique couverture rouge vif et s'enfuit.

Il courait au milieu de la rue, le livre serré sur son cœur. Ce livre, d'une certaine façon, était un cadeau de Galla. En effet, c'était pour elle qu'il tenait tant à le lire dans son intégralité, pour que rien de ce qu'elle voulait lui dire ne lui échappe, tout comme il avait lu jusqu'à la dernière phrase *Le jour de congé*. Mais avant de partir à l'aventure, il fallait remettre les lettres à Hercule Poirot, comme il le lui avait promis.

— Hmm, fit le policier après avoir parcouru les lettres rapidement.

— Alors, demanda David, c'est bien la même écriture?

— Je vais confier ces lettres à notre expert en graphologie. Pour l'instant, gardons-nous de tirer une conclusion hâtive. J'ai réfléchi à ton cas: tu reçois des lettres, des lettres soi-disant écrites par des personnages de romans. La question que tu dois te poser est la suivante: quel effet ont ces lettres sur toi?

— Eh bien, marmonna David, je me tourmente pour savoir d'où elles proviennent. Ne pensez-vous pas qu'il s'agit de la même fille?

— Je ne sais pas... Mais tu n'as pas répondu à ma question. Dis-moi, est-ce que des choses ont changé dans ta vie depuis que tu reçois ces lettres?

— Oh oui, soupira David. On dirait que je ne vois plus le monde de la même manière. J'ai l'impression que les livres et leurs personnages m'accompagnent tout le temps. Vous, par exemple, je pense que vous êtes Hercule Poirot.

— Hercule Poirot! s'exclama le policier en tortillant sa moustache. C'est plutôt flatteur. Et à part ça?

— Eh bien... j'ai lu trois romans en deux semaines. Plus que je n'en avais jamais lu dans toute ma vie.

— Donc, tu t'es mis à lire... Alors, réfléchis bien: qui a intérêt à te faire lire des romans?

— Qui? Mais tout le monde! Ma mère, ma tante, ma prof de français, Stéphanie... la terre entière veut que je me mette à lire, s'exclama David d'un air découragé. Jamais je n'arriverai à savoir qui m'écrit ces lettres!

— Il arrive souvent que le coupable soit la personne que l'on soupçonne le moins, trancha Poirot. Mon cher, tant qu'une énigme n'est pas complètement résolue, il faut laisser une fenêtre ouverte sur le doute. Mais tu aurais peut-être intérêt à te montrer moins obéissant la prochaine fois...

— Moins obéissant? reprit David.

— Oui. Par exemple, ne lis pas le dernier roman, pour voir ce qui se passera ensuite...

— Vous voulez m'empêcher de lire *Les Misérables*? balbutia David atterré.

— Celui-ci, ou le suivant, car il y en aura certainement d'autres, rectifia Poirot, touché par l'expression de désespoir qui avait envahi le visage de David.

Chapitre XV

La page de garde ne comportait que le nom de l'auteur : Victor Hugo, et son portrait se trouvait à la page suivante. C'était la photograhie en noir et blanc d'un vieil homme qui, le visage détourné, semblait fixer quelque chose sur sa gauche. La lumière dansait le long de la ligne continue que formaient le grand front bombé, la masse de la chevelure argentée et une grosse barbe blanche.

Sur cette photo légèrement floue, où les traits se fondaient dans un effet de douce gravité, Victor Hugo semblait beau. Mystérieux assurément, triste peut-être, ce visage, qui semblait refuser l'échange du regard, aurait très bien pu être celui d'un médecin ou d'un savant de la fin du XIXe siècle.

« Je m'attends au pire », pensa David en fixant le livre. Ne l'avait-on pas prévenu que seul un lecteur chevronné était capable de venir à bout des *Misérables*? Mais l'image de Galla juchée sur sa vieille bicyclette lui revint. Il n'allait pas se dérober devant cette épreuve, lui qui aimait les défis.

«À nous deux, Victor Hugo!» cria-t-il presque dans le silence de sa chambre, puis il se mit à lire.

Les premières pages étaient illisibles. Affolé, David alluma son magnétophone. «Max, au secours! Je suis complètement perdu. Oui, je t'assure, ce n'est pas une blague. Ça se passe en mille huit cent quinze, dans un pays que je ne connais pas, et je ne comprends absolument pas de qui on parle ni où on s'en va. C'est l'histoire d'un curé et de sa femme, non, je pense que c'est sa sœur... Enfin, il est question de sa maison, de son église, bref, c'est ridicule et inintéressant. Le pire, c'est que je suis rendu à la page cinquante, et toujours pas de Jean Valjean. Cette Galla, je la retiens! Qu'est-ce qu'elle cherche au juste? Encore deux pages, et j'arrête.»

La surprise d'Alexandra ne fut pas des moindres lorsque trois billets de dix dollars atterrirent devant elle sur le comptoir. Elle leva les yeux vers David et fut frappée par l'expression qu'il y avait dans son visage.

— De même que Jean Valjean remboursa aux Thénardier la dette de Cosette, je suis venu payer le livre que j'ai pris.

— Tu as disparu bien rapidement l'autre jour, dit la jeune fille. Je croyais ne jamais te revoir.

Elle sourit à David qui, arborant toujours un air sévère, lui répondit:

— Par ta faute, je me suis trouvé dans la situation de l'affamé à qui le boulanger refuse de vendre un pain et qui n'a d'autre choix que de le voler. Or il se trouve que, comme la plupart des voleurs, je n'ai pas cette vocation. Ce sont les nécessités de la nature qui forcent les gens à commettre des erreurs.

Sur un ton digne du grand Victor Hugo lui-même, David poursuivit avec emphase :

— Tu m'as grandement offensé, je dois le dire, en manifestant du mépris envers mes capacités en lecture, mais je tiens quand même à te remercier du fond du cœur, car de là est née la force qui m'a permis de mener à bien mon entreprise.

Ébahie, la jeune fille écoutait les propos grandiloquents de David.

— Vraiment, David, je ne voulais pas t'offenser...

— Non, non, ne t'excuse pas... Grâce à toi, j'ai lu le plus beau livre du monde. Merci, Alexandra, merci, dit-il en la fixant intensément.

— Est-ce vraiment moi que tu remercies ? demanda Alexandra très étonnée.

— Oui, bien sûr que c'est toi. Mais aussi Victor Hugo, c'est vrai, et Cosette, et Fantine, Gavroche et son petit frère, Jean Valjean, mais surtout, c'est Galla que je remercie...

— Galla ? reprit Alexandra. Que vient-elle faire dans *Les Misérables* ?

— C'est quand même elle qui m'a poussé à le lire. Si elle ne m'avait pas envoyé une lettre signée «Jean Valjean», jamais je n'aurais lu ce livre.

— Alors, moi aussi je vais me mettre à t'écrire des lettres, dit Alexandra d'un air mélancolique.

Sans remarquer la déception manifeste de la jeune fille, David insista :

— Alexandra, peux-tu imaginer le travail que demande l'écriture d'un tel livre ? On dit que Victor Hugo y a mis près de vingt ans ! Quant à moi, je n'ai pas quitté ma chambre de la semaine, j'ai même passé une nuit blanche pour le terminer. À la fin, je me suis regardé dans le miroir de la salle de bains pour voir si mes cheveux n'étaient pas devenus blancs. Ma mère n'en revenait pas de me voir lire sans arrêt. Tu sais, j'ai presque pleuré à la mort de Gavroche...

— Moi aussi, répliqua Alexandra.

— C'est vrai ? dit David. Et aussi à celle de Jean Valjean ?

— Oui, mais j'ai trouvé encore plus émouvant le chapitre où, après son mariage, Cosette l'abandonne à sa solitude. Quelle ingrate !

D'un ton douloureux, elle ajouta :

— Ça ne se fait pas, abandonner son père adoptif...

— Tu as raison, c'est affreux, soupira David. Ce maudit Marius, je l'aurais bien étripé.

Il hocha la tête.

— Malheureusement, c'est impossible !

— Impossible, en es-tu sûr ? Tu as bien rencontré Hercule Poirot l'autre jour, non ?

— C'est vrai... mais si je pouvais choisir, je préférerais faire la connaissance de Cosette, dit-il rêveusement, Cosette jeune fille, bien sûr, pas Cosette enfant.

— Moi, plus tard, je ne veux pas d'enfants. Les enfants sont des ingrats. Ils ne méritent pas tout ce que leurs parents font pour eux, lança la jeune fille.

Les deux adolescents échangèrent un long regard.

— Et la bataille de Waterloo, reprit David, tu t'en souviens ?

— Si je m'en souviens ! Les chevaux qui s'effondrent dans la poussière... les corps entassés les uns sur les autres... ah, c'est terrible !

— C'est curieux, dit David, j'ai été frappé par la même image... Et aussi quand Napoléon marche comme un spectre dans la campagne...

— Tu sais, le père de Victor Hugo était général dans l'armée républicaine, mais je ne pense pas qu'il ait participé à la bataille de Waterloo. Je crois qu'il était déjà mort à cette époque.

— Est-ce que Victor Hugo aimait son père ?

— Oui. Il a même écrit un poème où il dit : «Mon père, ce héros au sourire si doux...»

— «Ce héros au sourire si doux !» répéta David. J'imagine qu'il devait aussi aimer sa mère ? Il parle de Fantine d'une manière si touchante... elle dont l'histoire est si terrible.

— Moi, je n'aurais pas du tout aimé vivre au XIXe siècle. C'était trop dur pour les femmes !

— La scène devant l'auberge, quand l'aristocrate lui met de la neige dans le cou ! Horrible !

— Et l'inspecteur Javert qui prend le parti de l'autre ! Et Fantine qui se retrouve en prison parce qu'elle est pauvre !

— Il était courageux, Victor Hugo. Il a dû se faire beaucoup d'ennemis en écrivant ça.

— Oui, il a même été obligé de s'exiler à cause de ses opinions politiques.

— Tu sais, Alexandra, je vais te dire une chose. Quand je lisais *Les Misérables*, c'était comme si moi-même je faisais partie de l'histoire. Grâce à Victor Hugo, je me suis glissé dans la peau de Jean Valjean, puis dans celle de Gavroche.

Ils se turent enfin. Et alors seulement, David remarqua qu'Alexandra portait une jolie blouse de soie blanche, qui laissait voir ses bras minces et légèrement bronzés. C'était étrange : il était arrivé avec l'intention de lui dire sa façon de penser, mais voilà qu'il s'était mis à lui faire des confidences. Faire des confidences à une fille, jamais le David d'avant l'accident ne s'y serait risqué, et pourtant, quelques secondes plus tôt, il avait même presque avoué des larmes ! Mais ce qui contrariait vraiment David, c'est qu'à chacune de leurs rencontres, il trouvait à Alexandra de nouvelles qualités.

Il reprit, à l'intention d'Alexandra :

— Bien entendu, j'ai parlé des *Misérables* à Max, mais je lui ai conseillé de lire le résumé. Tu comprends, il a un tournoi important la semaine prochaine...

— Bien sûr, je comprends, murmura ironiquement la jeune fille en écho.

Gêné, David changea de sujet.

— Tiens, tu as une nouvelle blouse ?

— Oui, c'est un cadeau de mon père. C'est de la vraie soie...

— Tu sais, moi, les vêtements, ça ne m'intéresse pas tellement, répondit David.

— Pourtant, tu dois bien t'intéresser aux vêtements de ton amie Galla, fit Alexandra, la gorge nouée par l'émotion.

— Oui, mais avec Galla, c'est différent.

— Ah oui ? Est-ce que tu l'as présentée à Max ? reprit Alexandra.

Surpris, David répliqua :

— Oui, la semaine dernière, et il l'a trouvée super.

— Tu n'es pas jaloux ?

Le trouble qui s'empara de David n'échappa pas à Alexandra, qui poursuivit :

— Il y a très longtemps, une femme nommée George Sand a écrit une œuvre célèbre intitulée *La Petite Fadette*. C'est l'histoire de deux frères jumeaux qui aiment la même fille. Est-ce que ça t'intéresserait de lire ce livre ?

— Bien sûr, fit laconiquement David.

— Les deux frères aiment la petite Fadette, qui est une fille simple et naturelle, une fille sans artifices. Elle, bien sûr, n'aime que l'un des jumeaux, alors l'autre est désespéré et finit par s'enfuir.

— C'est triste, ton histoire.

— Un peu. Mais pas trop, quand même, car les amoureux finissent par se marier, ils sont heureux et plus personne ne se préoccupe de celui qui est parti. Mon Dieu que les gens sont égoïstes !

Elle resta silencieuse un moment, puis :

— Toi, au moins, tu n'es pas égoïste avec ton frère, tu ne l'oublies pas.

— Oh non, fit David avant d'ajouter : bon, maintenant, il faut que je file. J'ai hâte de voir si Galla m'a écrit une autre lettre.

«Salut, Max. Bravo pour ta qualification au premier tour ! J'ai bien hâte de te voir à la télé, car c'est sûrement pour bientôt, n'est-ce pas ? Figure-toi que j'ai revu la fille de l'accident, celle qui m'a accompagné à l'hôpital, et que je trouvais moche. Eh bien, on a eu une longue conversation, elle et moi. Et sais-tu de quoi on a parlé ? De littérature ! Incroyable, non ?

Côté lettres anonymes, rien de nouveau pour l'instant. Bon, je te laisse, je dois aller voir Fred. Salut !»

Chapitre XVI

— Et si Alexandra était une fille adoptée ? Ce serait drôle, non ? lança David à Fred, alors qu'ils marchaient ensemble dans la rue Saint-Denis.

— Je ne vois pas ce qu'il y a de drôle à cela, répartit Fred, fatigué par sa journée de travail. Il ajouta :

— Tu passes ta vie à me parler de filles que je ne vois jamais, c'est plutôt ça que je trouve drôle.

David décréta que, n'ayant pas lu *Les Misérables*, Fred ne pouvait pas comprendre.

— Peut-être, dit Fred en se laissant tomber sur un banc, mais ça m'est complètement égal.

— Tu ne sais pas ce que tu perds ! répliqua David.

Pour marquer son désintérêt, Fred s'allongea sur le banc avant de décréter :

— Décidément, on ne peut plus parler normalement avec toi. Tu ne penses qu'à tes livres. Le pire, c'est que, dès que tu en as fini un, il faut absolument que tu te mettes à en parler. Ensuite, tu en commences un autre, et c'est la même histoire. Je vais finir par regretter de t'avoir offert *Le prince de Central Park*.

David allait rétorquer quelque chose lorsqu'une silhouette familière retint son attention. C'était Galla, arrêtée à un feu rouge, juchée sur son éternelle bicyclette.

Il agita le bras dans sa direction en criant son nom. Elle tourna la tête vers lui et, enfin, l'aperçut. Le cœur battant, il la vit descendre de son vélo et marcher jusqu'à lui.

— Galla, je te présente mon ami Fred, dit David, alors que Fred se redressait sur le banc.

Pensant piquer l'intérêt de la jeune fille, il continua :

— Nous étions en train de parler des *Misérables*, que Fred n'a même pas lu.

— Moi non plus, je ne l'ai pas lu, dit Galla. J'ai vu le film, et ça m'a suffi.

Fred s'esclaffa.

— Un film, bégaya David, ça n'a rien à voir avec un livre !

— Envoyer quelqu'un en prison parce qu'il a volé un pain, c'est complètement invraisemblable ! reprit Galla.

— Invraisemblable ! Et l'histoire de Jean Vaugeois ?

Comme ni Fred ni Galla ne semblaient au courant, il dit :

— Jean Vaugeois est un père de famille qui a été arrêté parce qu'il volait de la viande pour nourrir ses enfants. Ça se passe ici, au Québec, aujourd'hui ! Alors, tu trouves toujours que l'histoire de Jean Valjean est invraisemblable ?

— De toute façon, moi, je ne m'intéresse qu'aux histoires qui se passent à notre époque.

— Mais toutes les époques se ressemblent, dit David, qui n'en revenait pas d'entendre Galla s'exprimer ainsi.

— Tu peux dire tout ce que tu voudras, tu ne m'ôteras pas de l'idée que *Les Misérables*, c'est du passé ! Moi, je vis dans le présent.

Elle enfourcha sa bicyclette, puis :

— La vie est déjà bien assez dure comme ça, s'il faut qu'en plus on s'en fasse pour les sans-abri du XIXe siècle...

Dans le puissant coup de pédale qu'elle donna pour prendre son élan, on vit saillir ses mollets, qui n'étaient pas petits. Elle se retourna et fit «salut!» de la main. Un geste sans grâce, observa David, qui ne fit rien pour la retenir.

— C'est vrai qu'elle a l'air intelligente, cette fille, commenta Fred.

— Intelligente ! Elle est surtout insensible, répliqua son ami.

Fred ajouta :

— Je commençais à douter de son existence.

Et David se surprit à penser : «Eh bien, pour moi, elle n'existe plus.»

Une bonne nouvelle attendait David à la maison.

— Monsieur Trottier a reçu l'argent des assurances pour ton accident, lui annonça sa mère en désignant un chèque posé sur la table. Elle commenta :

— Avec ça, tu vas enfin pouvoir acheter ton vélo.

— C'est génial! fit David.

Le chèque à la main, il s'apprêtait à regagner sa chambre lorsque sa mère s'écria:

— Ah, j'allais oublier! Il y a un paquet pour toi.

Il examina un moment l'enveloppe matelassée que sa mère lui tendait, puis se décida à l'ouvrir. Elle contenait un petit livre intitulé *Carmen en fugue mineure*. Sur la couverture, on voyait une fille à la mine triste et aux cheveux ébouriffés qui tenait un gobelet de plastique à la main. Mais l'image était complètement gâchée, car quelqu'un avait tracé par-dessus les mots «J'existe» à grands traits de crayon feutre noir soulignés trois fois.

Sous le regard étonné de sa mère, David jeta le tout dans la poubelle, avant d'ajouter:

— Les publicités stupides, voilà ce que j'en fais!

— Tu es bien certain qu'il s'agit d'une publicité?

— Mais oui. Une publicité pour une personne, ça reste encore une publicité, non? On m'a assez fait marcher comme ça.

— Mais tu ne vas pas jeter un livre à la poubelle! dit sa mère en se penchant pour le récupérer.

— Pourquoi me forcer à lire ça, alors que je viens tout juste de lire *Les Misérables*?

— Mais tu ne l'as même pas ouvert! s'écria sa mère.

Le livre à la main, elle fredonna: «L'amour est enfant de Bohême...»

— Lis-le, toi, si tu veux, répondit David. Moi, j'ai autre chose à faire.

D'un ton plus doux, il reprit :

— Tu sais, j'ai décidé qu'avant de m'acheter un vélo, je vais me procurer quelques livres.

— C'est une très bonne idée, répondit sa mère.

David jeta un coup d'œil dans le miroir de l'entrée. Il trouva ses cheveux longs et il n'aimait pas beaucoup ça.

— Je vais aller me faire couper les cheveux, annonça-t-il d'un ton décidé.

Sous l'œil ébahi de sa mère, il revint sur ses pas, lui prit le livre des mains et ajouta : «Tu sais, chez Jacques, on attend toujours longtemps !»

Le salon de coiffure bourdonnait comme une ruche mais, le nez dans son livre, David ne voyait ni n'entendait rien. Il suivait Carmen, une drôle de fille qui, ce matin-là, avait décidé de ne pas aller à l'école.

— Salut David, fit une voix familière.

C'était Alexandra. Avec les cheveux mouillés et plaqués sur les tempes, elle lui apparut comme une étrangère.

— Salut, dit David, étonné. Tu n'es pas à la librairie ?

— Non, c'est mon jour de congé aujourd'hui.

— Le magasin est fermé ?

— Mais non, c'est mon père qui s'en occupe.

Une personne surgie par derrière s'empara de la tête de David. D'une main vigoureuse, on lui tordit le cou en direction d'un évier, puis on dirigea sur ses cheveux un jet d'eau glacée, suivi d'une douche brûlante. David sentit le shampoing que l'on étalait sur son crâne et il frissonna. On se livra ensuite à toutes sortes d'énergiques frictions, dont l'effet le plus évident fut qu'en une seconde il eut du produit dans les yeux, dans le nez et dans les oreilles. De sa bouche miraculeusement épargnée, il protesta :

— Attention, ça pique !

Alexandra, qui avait déjà subi le même sort, poursuivait seule la conversation.

— C'est la première fois que je viens ici, dit-elle. Et peut-être la dernière, ajouta-t-elle en riant avant de préciser : d'habitude, c'est mon père qui me coupe les cheveux.

David, qui n'avait rien entendu, était en train de subir l'étape du rinçage. Il dit :

— Max me pose plein de questions sur Victor Hugo et je ne sais pas quoi lui répondre.

Alexandra hésita une seconde, puis :

— Alors, présente-le moi ! Tu l'as bien présenté à Galla.

Un ange passa. Puis David reprit :

— Justement ! Je regrette de l'avoir fait.

— Pourquoi ? Ne me dis pas qu'il est tombé amoureux d'elle !

— Mais non, ce n'est pas ça...

David soupira :

— Tu sais, les champions sont des êtres très vulnérables... Il suffit de peu pour que tout bascule dans leur tête... Les gens croient que c'est avec les muscles que l'on gagne, mais c'est faux, c'est avec la tête ! Le mental, pas autre chose ! Un grain de doute, une pincée d'hésitation, un microgramme de rien du tout, et voilà, c'est la catastrophe!

— Ton frère est quelqu'un de bien, je n'en doute pas, mais tout de même, c'est un être humain, pas un ange. À moins que tu ne m'aies caché quelque chose à son sujet... lança-t-elle d'un ton lourd de sous-entendus en se levant pour suivre la coiffeuse dans l'autre pièce.

«Cette fille commence à devenir pénible, pensa David. Elle se croit tout permis, simplement parce que je lui ai fait des confidences l'autre jour.»

En attendant le retour du coiffeur, il se replongea dans son livre. C'était un vrai plaisir de se promener librement avec Carmen par un beau jour d'école. Tout ça parce qu'elle ne voulait pas présenter son exposé! David frissonna. Carmen suivait un jeune chanteur dans des rues de plus en plus sinistres! Ça commençait à devenir inquiétant! Au moment où elle entrait dans le squat, Jacques, le coiffeur, s'approcha. De mauvaise grâce, David le suivit dans la grande salle où Alexandra l'avait précédé. La radio diffusait de la musique en sourdine. Le coiffeur suspendit son peigne et dit: «Carmen! C'est mon air préféré!»

— C'est drôle, il y a justement une Carmen dans le roman que je suis en train de lire, dit David.

— Ah oui? fit le coiffeur qui s'était remis à la tâche en fredonnant: «Toréador, prends garde à toi...»

— C'est l'histoire d'une fille super. Sur un coup de tête, elle fait une fugue et se promène partout dans la ville.

— C'est un roman d'aventures, alors?

— Non, plutôt psychologique, dit David en faisant une grimace. Il venait soudain de penser au procédé qu'avait utilisé l'expéditrice du livre. Elle avait écrit «J'existe!», mais David savait bien qu'elle existait, puisqu'il l'avait déjà rencontrée trois fois! En fait, l'auteur de ce message était peut-être quelqu'un d'autre!

— Si tu ne cesses pas de bouger, je vais finir par te couper l'oreille, protesta Jacques avant d'ajouter: je parie que tu es encore dans ton livre. C'est toujours comme ça, avec les romans.

— Peut-être bien... Mais ce qui me plaît avec celui-ci, c'est que, pour une fois, l'action se passe à Montréal. C'est quand même intéressant, non, une histoire qui se passe chez nous!

Lorsqu'il estima son œuvre achevée, le coiffeur plaça un miroir derrière la nuque de David, l'inclina dans toutes les directions en demandant: «Est-ce que ça va?» «Ça va», répondit David. Réponse que l'autre interpréta comme un signal. Il saisit une brosse et lui balaya la nuque et les épaules avec énergie. Puis il arracha la blouse dont il l'avait revêtu avant le shampoing. Ouf! C'était fini! David se leva de son siège.

En arrivant à la caisse pour payer, quelle ne fut pas sa surprise d'y trouver Cosette en personne, une ravissante Cosette dont le visage était encadré de courtes mèches blondes.

— Ça te va pas mal, les cheveux courts, marmonna-t-il entre ses dents.

Alexandra ne put s'empêcher de rougir.

Alexandra n'avait pas menti : la librairie était ouverte. David entra et vit qu'un homme à la crinière complètement blanche se tenait au comptoir. Il fit aussitôt demi-tour et se retrouva dans la rue. Sa belle assurance avait disparu. Que devait-il faire ?

Bien sûr, il mourait d'envie d'entrer et de questionner le père d'Alexandra. Mais il était terriblement gêné de s'introduire ainsi dans la vie d'un inconnu.

Il posa son front contre la vitrine et regarda les livres qui y étaient exposés. En se penchant un peu, il pouvait voir le libraire assis derrière son ordinateur.

David resta immobile un moment, espérant que l'homme allait enfin se redresser et montrer son visage. Il commençait à désespérer lorsque, avec une vivacité inattendue, le libraire quitta son poste et marcha droit sur lui.

— Qu'est-ce que tu veux ? Pourquoi m'espionnes-tu comme ça ? demanda-t-il à David, qui n'avait pas eu le temps de s'enfuir.

— Euh... j'ai vu *Le prince de Central Park* dans la vitrine, alors je me suis arrêté.

— *Le prince...* ? dit l'homme d'une voix radoucie. Je m'excuse, mais c'est l'heure de la fermeture.

David recula d'un pas et balbutia :

— Je voulais acheter des romans de Victor Hugo, mais je reviendrai.

— Des romans de Victor Hugo ! s'exclama l'homme. C'est pour ta grand-mère ?

— Non, non, c'est pour moi. J'aime beaucoup Victor Hugo. Sans prendre le temps de réfléchir, il ajouta :

— D'ailleurs, vous avez les mêmes cheveux que Jean Valjean.

L'homme éclata de rire, passa sa main dans sa crinière d'un geste machinal :

— Oui, ma fille m'a déjà dit ça...

— Vous savez, je connais Alexandra.

— Ah, très bien, fit l'homme. Comment t'appelles-tu ?

David se présenta et l'homme lui fit signe d'entrer, puis il ferma la porte de l'intérieur.

— Comme ça, nous ne serons pas dérangés. Voyons ce que je peux faire pour toi. Des romans de Victor Hugo, fredonna-t-il en s'approchant de la section «Littérature». Si je comprends bien, tu as déjà lu *Les Misérables*. C'est plutôt rare pour un garçon de ton âge...

— Oui, je sais. N'empêche, j'ai eu un immense plaisir à lire ce livre.

— Bravo, bravo, fit l'homme. Alors, comme ça, tu aimes beaucoup lire ?

— Non, pas tant que ça, dit David. En fait, jusqu'au mois dernier, j'avais même horreur de ça. Et puis j'ai eu ce stupide accident – il exhiba son bras plâtré – , ce qui m'a obligé à cesser mes activités habituelles. Alors j'ai décidé d'utiliser mon temps de façon intelligente...

Sentant qu'il intéressait le libraire, David continua :

— Ainsi, sans même bouger de mon lit, je voyage dans l'espace et dans le temps. Et je découvre que le pays le plus merveilleux, c'est...

Le père d'Alexandra ne le laissa pas achever :

— L'âme humaine, peut-être ?

— Comment avez-vous deviné ? demanda David stupéfait, avant de reprendre : bien sûr, avec tout ce que vous avez lu, vous devez tout comprendre !

— Je comprends bien des choses, mais je ne comprends pas tout. Mon garçon, tu as bien raison, certains livres sont des concentrés de vie et de sagesse.

— Certains seulement ? demanda David étonné.

— Oui, car il existe aussi des livres complètement nuls, tu sais.

— S'ils sont nuls, j'imagine que personne ne les achète...

— Non. C'est plutôt le contraire, malheureusement. Les mauvais livres sont souvent ceux qui se vendent le mieux. Tiens, celui-ci, par exemple...

Sur la table des nouveautés, il saisit un volume intitulé *L'histoire de ma vie*. Sur la couverture, un célèbre animateur de télévision exhibait un sourire digne d'une annonce de dentifrice.

— Ce livre n'a aucune qualité littéraire, mais les gens l'achètent à cause de son auteur, qui est très connu. Comme si la célébrité générait le talent ! C'est triste, non ?

— Elle en a de la chance, Alexandra ! Avec un père comme vous, elle ne peut jamais se tromper ! s'exclama

David, qui avait écouté avec intérêt les paroles du libraire.

— Tu sais, Alexandra a son caractère et ses idées bien à elle. Elle ne me fait pas aveuglément confiance et elle a sans doute raison. N'empêche, nous sommes souvent en conflit, elle et moi, surtout depuis quelque temps. Par exemple, elle a décidé de se faire couper les cheveux sans m'en parler.

— En tout cas, elle vous aime beaucoup, dit David.

Il hésita une seconde avant de risquer d'une voix timide :

— J'ai entendu dire que les enfants adoptés aimaient encore plus leurs parents que les autres enfants...

— C'est Alexandra qui t'a dit ça ? dit le père, et David reçut sa réponse comme un coup de poing. Ainsi, il avait vu juste lorsque, chez le coiffeur, cette hypothèse lui avait traversé l'esprit. Alexandra, comme Cosette, était bien une enfant adoptée.

Sans se rendre compte de l'effet qu'il avait produit sur David, le libraire poursuivit :

— Alexandra est la fille de Françoise, une vieille amie... Elle est morte en lui donnant naissance, la laissant ainsi seule au monde... Ensuite, ça s'est fait tout simplement... J'ai constitué un dossier d'adoption et ma demande a été acceptée. C'est comme ça que je suis devenu le père de Nusch.

— Nusch ? reprit David.

— Oui, c'est le prénom que sa mère voulait lui donner, mais j'ai préféré Alexandra. Alexandra comme Alexandrie, la première grande bibliothèque de l'histoire... Celle qui contenait toutes les connaissances du monde occidental. Elle a brûlé, malheureusement, et la reconstitution des savoirs disparus a demandé près d'un millénaire...

Chapitre XVII

David contemplait d'un œil ravi les trois livres dont il était maintenant le propriétaire. Trois beaux livres habillés de rouge qui, sûrement, racontaient des histoires magnifiques !

— Ça serait bien d'acheter une nouvelle bibliothèque pour le salon, dit-il à sa mère.

Il avait hâte de se retrouver seul avec ses livres. Dès que sa mère eut tourné les talons, il en prit un, l'entrouvrit, lut quelques phrases, puis le referma. Ensuite il ouvrit le deuxième, puis le troisième, recommençant à chaque fois le même manège.

À son retour, sa mère lui trouva l'air décontenancé.

— Je ne sais par lequel commencer, lui avoua-t-il.

Elle se pencha vers les livres, en choisit un et dit :

— Celui-ci ! Je l'ai lu il y a longtemps.

David était de trop belle humeur pour contredire sa mère. D'un geste déterminé, il saisit le livre et gagna sa chambre après avoir annoncé :

— Je m'en vais lire. Qu'on ne me dérange sous aucun prétexte.

Dans l'après-midi, sa mère frappa deux coups furtifs à la porte, sous laquelle elle glissa une enveloppe. Plongé dans sa lecture, David ne s'en aperçut même pas. C'est seulement vers le soir, lorsque son estomac commença à se manifester, qu'il vit l'enveloppe. Il allongea le bras et la saisit en bâillant... Les yeux dans le vague, il bâilla de nouveau. Puis il s'assit sur son lit et se frotta les yeux. Il s'aperçut alors qu'il tenait une enveloppe entre ses mains. «Que fait-on avec une enveloppe?» se demanda-t-il, hébété. Une voix lui répondit: «Il faut l'ouvrir.» Ce qu'il fit, pour y trouver le message suivant:

Cher David,

Pour des raisons qui doivent absolument rester secrètes, je serai de passage à Montréal après-demain, mais seulement pour quelques heures. Peux-tu me retrouver à midi au parc Jeanne-Mance, sur le court numéro cinq? J'ai des choses importantes à te dire. Je t'embrasse.

Max.

Une bombe atomique n'aurait pas produit plus d'effet sur David. Il s'affala sur son lit, la tête enfouie dans l'oreiller, terrassé par le plus grand chagrin du monde.

Un peu plus tard, lorsque sa mère frappa à la porte pour annoncer le souper, il cria : «Non ! Je n'ai pas faim !» et elle n'insista pas. Elle connaissait les humeurs de son fils et les craignait un peu. Elle se dit qu'il était sans doute bouleversé par sa lecture et qu'il se calmerait plus tard.

Le lendemain matin, David ne se montra pas au déjeuner. Quand elle rentra de la pharmacie, elle vit qu'il n'avait pas touché au repas qu'elle lui avait préparé. À pas de loup, elle s'approcha et posa la tête contre la porte. Au léger ronflement qu'elle entendit, elle comprit qu'il dormait. Elle ouvrit la porte. Il était allongé tout habillé sur son lit et s'agitait dans son sommeil. Elle lui tâta le front pour voir s'il avait de la fièvre. D'un geste convulsif, David saisit sa main et murmura : «Condamné à mort !»

Vers minuit, elle entendit un grand cri. Elle se précipita et trouva David assis sur le bord de son lit, prostré, la tête dans les mains. À son approche, il se redressa et, les yeux hagards, demanda :

— Dis-moi, maman, est-ce toi qui m'écris des lettres anonymes ?

Elle s'assit près de lui :

— Voyons, David, qu'est-ce que tu racontes ? Calme-toi un peu...

Sans se faire prier, il se coula contre elle comme un gros chat, et elle se mit à le bercer. Comme l'étreinte de son fils devenait trop forte, elle protesta gentiment:

— Attention! Tu vas m'étouffer!

Il s'étendit sur le lit, posa la tête sur ses genoux pour qu'elle lui caresse les cheveux, comme quand il était petit. Alors, seulement, la tempête se calma et il s'endormit.

Lorsque le réveil sonna, il décolla sa tête de l'oreiller et se redressa. Sa résolution était prise. Il saisit son magnétophone et dit: «Max, c'est la dernière fois que je te parle. Oui, c'est fini entre nous, tu ne m'entendras plus jamais. Sache que je t'ai beaucoup aimé...» Il marqua une pause, puis reprit: «Mais voilà, maintenant c'est fini. Adieu, mon frère. Mon cher frère, je t'embrasse pour la dernière fois. Salut, Max.»

Le dos voûté, David marchait à grands pas, habité par cette affreuse certitude: quelqu'un avait découvert son secret.

Il longea la clôture grillagée qui entourait les terrains de tennis du parc Jeanne-Mance et se retrouva face au court numéro cinq, que le soleil de midi bombardait sans pitié. Deux joueuses, une blonde et une brune, s'affrontaient. Il observa leur jeu un moment, c'était visiblement des débutantes, puis il balaya l'endroit d'un regard inquiet.

À deux pas de lui, une jeune fille était assise dans l'herbe. Elle lui tournait le dos et lisait. On aurait pu la prendre pour Alexandra, mais ce n'était certainement pas elle. Son cœur se serra. Alexandra ne devait pas assister à sa rencontre avec l'auteur de la lettre.

Il piétina devant le court, observant de nouveau les joueuses. La brune en était à son deuxième service. Elle lança la balle de travers et le rata. L'autre annonça : « Zéro-quarante ! » d'un ton réjoui que David trouva tout à fait ridicule.

Il jeta un nouveau coup d'œil en direction de la fille qui lisait, le visage dans l'ombre.

« Qu'est-ce que je fais ici ? » se demanda soudain David.

Décidé à détaler au plus vite, il tourna les talons, mais la jeune fille se retourna à cet instant. C'était Alexandra. Elle se leva aussitôt et vint vers lui. Ses jambes flageolantes ne laissèrent pas à David le loisir de s'enfuir. Il s'accrocha au grillage et, baissant la tête, murmura : « Je suis nul ! »

Elle posa la main sur son bras, mais il la repoussa brusquement avant d'ajouter, la voix brisée : « Laisse-moi, va-t'en ! Tu n'as rien à faire avec un menteur comme moi ! »

Atterrée par le désespoir de son ami, Alexandra ne put réprimer la bouffée de culpabilité qui l'envahissait. La voix pleine de tendresse, elle se pencha vers lui :

— Écoute, David, je ne te veux aucun mal. J'aimerais seulement que nous parlions à cœur ouvert. J'ai su que tu mentais dès le premier jour, quand tu as eu ton accident et que j'ai téléphoné à ta mère. Elle m'a dit que tu avais bien eu un frère jumeau, mais qu'il était mort aussitôt après sa naissance.

— Un pauvre nul, voilà ce que je suis! reprit David.

— Crois-tu que je serais ici aujourd'hui si je te trouvais nul? protesta la jeune fille.

— Ainsi, tu savais tout depuis le début! Mais pourquoi ne l'as-tu pas dit?

— Si je l'avais fait, tu n'aurais jamais voulu me revoir, alors que moi, je...

Son visage s'empourpra et elle n'acheva pas sa phrase.

Leur match terminé, les joueuses les observaient en silence à travers le grillage en s'épongeant avec des serviettes multicolores. «Allons un peu plus loin», dit Alexandra, et ils foulèrent le gazon côte à côte.

— Tu sais, reprit-elle, tout le monde peut être amené à mentir un jour ou l'autre...

David ne répondit pas. Elle reprit:

— L'imagination est un don, tu sais... La plupart des gens n'en ont aucune! Moi, quand j'étais petite, je m'étais inventé une amie. Elle s'appelait Annie. À table, je mettais toujours une place pour elle. Et mon père faisait semblant d'y croire...

— Mais tu n'es pas mon père, répliqua David.

— Non, mais j'aimerais bien être ton amie... Tiens, regarde, je t'ai apporté quelque chose.

Elle lui fit signe de s'asseoir près d'elle sur le gazon et ouvrit le livre qu'elle avait gardé caché pendant tout ce temps.

— *Alice au pays des merveilles*, annonça-t-elle. Et David, pas très convaincu, répéta:

— Le pays des merveilles!

— C'est tout simplement le pays de l'imaginaire, continua-t-elle. Un pays où tout est permis. Regarde !

Il s'était assis à côté d'elle et il la regardait. Comment devina-t-elle qu'une seule chose au monde pourrait le soustraire à son immense tristesse ? Elle lui caressa les cheveux et, cette fois, il se laissa faire.

Puis elle ouvrit le livre.

ÉPILOGUE

Cher lecteur, chère lectrice,

Sans doute es-tu en train de te dire : «Quoi, ENCORE UNE LETTRE !» Ce à quoi je réplique immédiatement : eh oui, encore une lettre, mais cette fois-ci, c'est moi qui la signe, David Nadeau, une personne bien réelle.

Mais tout d'abord, laisse-moi te raconter une petite histoire.

Il était une fois une fille qui aimait secrètement un garçon. Un jour, elle eut enfin le bonheur de s'en approcher. Hélas ! il refusait de lui porter attention. Il n'avait d'yeux que pour une jeune cycliste, et d'oreilles que pour un certain Max, frère jumeau imaginaire qui, loin du Québec, vivait, semblait-il, de passionnantes aventures...

Ainsi, notre héroïne n'était pas très heureuse. D'autant plus que cet été-là, comme chaque année, elle allait devoir aider son père à la librairie pendant la moitié des vacances !

Or il se trouve que cette fille bien ordinaire rêvait de devenir un jour une grande écrivaine, projet auquel son libraire de père adhérait sans réserves, et même avec le plus grand enthousiasme.

— Je t'emmène à New York avec la personne de ton choix si tu réussis, par la seule force de ta plume, à rendre fou de littérature quelqu'un qui n'a jamais lu un seul roman, annonça-t-il à sa fille un beau matin.

La fille réfléchit une partie de la nuit, puis au matin elle alla trouver son père :

— J'ai une idée, lui dit-elle. Je connais un garçon qui déteste lire. Je vais lui envoyer une série de lettres signées par des personnages de romans, et la tournure des lettres sera telle qu'il sera tenté de lire les romans pour découvrir qui lui écrit. Ainsi, bien malgré lui, il deviendra un passionné de lecture, et moi j'aurai gagné mon pari !

— Fais comme bon te semble, répondit le père à sa fille.

— Je réussirai, dit-elle.

Chère lectrice, ou encore cher lecteur, tu l'as sans doute deviné, cette histoire n'est autre que celle de ma rencontre avec Alexandra. Tu comprendras que, vivant désormais de ma plume, je tenais à te la raconter moi-même, secondé par l'antique magnétophone dont je ne me sépare jamais. En fait, je n'ai pas accompli seul cette tâche : mon épouse et moi y avons travaillé à quatre mains, car nous partageons tout, y compris la merveilleuse profession d'auteur.

Dire que je suis devenu un vrai lecteur serait faible, étant donné la façon dont la littérature a investi et bouleversé ma vie. Mais je n'ai rien oublié de cette étrange aventure qui a eu l'effet d'un coup de tonnerre dans le ciel de mon adolescence... Il y a exactement vingt ans de cela... Vingt ans, déjà !

Ah, j'entends la clé dans la serrure... C'est elle qui revient de l'école, où elle est allée conduire notre fils Maxime.

Pardonne-moi si je t'abandonne ici. Mais c'est toujours avec la même impatience que je m'apprête à retrouver celle à qui je dois tant d'années de bonheur, ma chère Alexandra.

Ton ami, David.